KB077209

디자인 씽킹 코칭

- 커리어 플랜 세우기

디자인 씽킹 코칭
- 커리어 플랜 세우기

발 행 | 2024년 2월 27일
저 자 | 이현주
펴낸이 | 한건희
펴낸곳 | 주식회사 부크크
출판사등록 | 2014.07.15.(제2014-16호)
주 소 | 서울특별시 금천구 가산디지털1로 119 SK트윈타워 A동 305호
전 화 | 1670-8316
이메일 | info@bookk.co.kr

ISBN | 979-11-410-7405-0

디자인 씽킹 코칭 1
커리어 플랜 세우기

어떻게 나의 커리어 플랜을
세워야 하는가?

이현주 지음

Design Thinking Coaching 1
Career Planning

BOOKK♪

| 차례 |

1부   커리어 탐색

2부   커리어 플랜 세우기

3부 실행 모니터링

나는 세상 밖으로 나가 빵을 먹기로 했다

어릴 적 초등학교 저학년 정도쯤에 살던 동네에 '독일 제과'라는 작은 빵집이 있었다. 어느 날 아빠와 그 빵집 앞을 지나다가 멈춰서서 얘기를 나눴다. 창문 안 나무쟁반에 몇 개 남아있는 팥빵, 슈크림빵, 사라다빵을 바라보며 침을 꿀꺽 삼켰다. 나는 이제 아빠가 빵을 사줄 것을 알기에 잔뜩 기대하는 목소리로 활짝 웃으며 아빠에게 말했다.

"아빠, 전 이다음에 크면 이런 빵집에 시집갈 거예요."

딸 바보였던 아빠의 얼굴엔 웃음은 사라지고 어떻게 그런 생각을 하게 됐는지 조용한 목소리로 이유를 물으셨다.

"이런 빵집에 시집을 가면 매일 빵을 실컷 먹을 수 있으니까요."

나는 아주 당당하게 대답했다.

"그렇구나. 그런데 전에는 세계를 돌아다니며 사진을 찍고 글을 쓰는 내셔널지오그래픽 기자가 되고 싶다고 말했었지. 그 꿈은 여전히 이루고 싶은 거니?"

아빠는 진지한 표정으로 다시 물으셨다.

"세계를 돌아다니며 취재하는 멋진 기자가 될 거예요."

그 또한 아주 당연하다는 듯이 대답했다. 사진기자가 되는 것은 당시에 생각만 해도 흥분되던 나의 미래 직업이었다.

"그래 너는 이 빵집 창문으로 보이는 빵을 매일 먹기 위해 빵집에 시집을 갈 수도 있겠지, 그런데 세상 밖으로 나가서 너의 꿈인 사진도 찍고 여행하면서 모든 나라의 빵을 다 먹어본다면 어떨까?"

갑자기 가슴이 뛰었다. 아빠의 질문이 나를 깨웠다. 그 작은 빵집에 시집을 가서 빵을 먹는 나의 모습은 하나의 점이 되어 사라지고, 지구를 누비며 사진을 찍는 상상을 아주 오랫동안 했었다. 그 질문은 그동안 다양한 경력을 쌓으면서 두려울 때 나를 일으켜 세웠다. 이것은 어렵고 힘들지만, 미래를 위한 새로운 길을 가야 할지 결정할 때 마음에 물어본다. 나는 지금 어디에서 누가 만든 빵을 먹고 싶은가. 그렇다. 나는 세상 밖으로 나가 빵을 먹기로 했다.

나는 내셔널지오그래픽 기자가 되지 않았다. 그렇지만 20대에 사진에 미쳐서 전국을 7바퀴를 돌았고, 지금까지 40여 개국 가까이 여행하고 글로벌 회사에서 근무하며 여러 곳에 출장을 가며 그 나라의 빵을 먹었다. 낯선 도시에 도착하면 커피와 빵을 사서 햇빛이 잘 드는 곳에 앉아 마음 가득 차오르는 자유와 여유를 즐기며 나의 성장을 축하한다. 이것은 나를 위한 작은 파티이며 나의 성장 의식이다.

내가 원하는 인생의 방향과 커리어가 일치되고 나의 가치관과 정체성을 지키며 커리어를 성장시키기 위해 노력했다. 아르바이트, 계약직, 비정규직, 프리랜서, 정규직, 법인회사 대표 등 다양한 고용 형태를 경험한 것은 나에게 모두 소중한 자원이 되었다. 금융, 전자, 통신, 물류, 콘텐츠, 공공 등 여러 산업 분야를 거치면서 각 분야는 고유의 특성과 요구하는 역량과 기대가 다르다는 것을 현장 속에서 체험했다.

원하는 분야에서 원하는 사람들과 일하며 커리어의 성취를 만들 수 있었던 것은 끝없는 배움에 대한 호기심과 열정을 멈추지 않았기에 가능했다. 학업을 계속하며 공학 석사와 경영학 박사를 취득하면서 커리어 플랜과 삶의 여정에 많은 변화가 찾아왔다. 그리고 이제 나와 내 주변을 벗어나서 나의 지식과 경험을 확장하며 다른 사람에게 도움이 되는 것이 무엇인지 탐색하고 행동으로 실천에 옮기고 싶었다.

그래서 코칭과 NLP를 공부하는데 몰입했다. 코칭과 NLP를 디자인 씽킹 도구들과 연결하면 우리 삶의 문제를 해결하고 미래를 향해 변화와 성장을 도울 수 있는 강력한 도구가 될 수 있다는 것을 깨달았다.

이 책은 '디자인 씽킹 코칭'을 활용한 커리어 플랜 세우기에 대한 것이다. 자신의 커리어 플랜을 세우는데 디자인 씽킹 도구들을 활용하고 개념을 빌린다. 이에 코칭과 NLP를 연결하여 설정한 목표의 성취를 이룰 수 있도록 한다. 그동안 많은 학생과 커리어에서 성공을 원하는 사람들이 이 프로그램을 통해서 성공적인 결과를 만들어왔다. 워크샵 과정의 모든 과정을 나눌 수는 없지만 지면으로 전할 수 있는 부분을 정리하였다. 이 책을 읽는 모든 독자가 스스로 커리어 플랜을 세우는 데 도움이 되도록 하는 것이 목표이며 글을 쓰는 나의 사명이다.

디자인 씽킹 코칭의 이해

디자인 씽킹 코칭을 시작하며

디자인 씽킹(design thinking)과 코칭(coaching)에 대한 이해가 필요하다. 각 용어가 가지고 있는 광범위한 의미와 활용이 있어 먼저 용어를 정의하고자 한다. 먼저 디자인 씽킹은 '사고 과정을 디자인하는 과정을 통해 개인이나 조직의 복잡한 문제를 해결하는 솔루션을 생성하는 데 도움을 주는 인간중심의 문제 해결 접근 방식'이다. 코칭은 한국코치협회에서 '고객의 현재 상태에서 목표 상태에 도착하도록 함께하는 보다 개인화된 서비스'를 의미한다.

이 책에는 NLP(Neuro Linguistic Programing)의 전제와 개념이 녹아있다. 도서 'NLP입문'에 소개된 로버츠 딜츠의 '어떻게 특정의 분야에서 탁월성을 보일 수 있을지 그 방법을 연구하는 것이다'라는 개념을 기반으로 한다. 이 책을 읽는 독자가 커리어 플랜을 세우는 과정과 코칭 질문에 답하는 동안 자신의 탁월성이 향상되길 바라는 강한 바람을 담고 있다.

디자인 씽킹, 코칭 그리고 NLP가 독자적으로 사람들에게 알려지고 활용되었다. 이에 비해 '디자인 씽킹 코칭'이라는 명칭으로 활용되고 효과를 인지하기 시작한 것은 초기 단계라고 할 수 있다. 국제코치연맹(ICF)에 기고된 마니샤 다완은 코칭에 디자인 씽킹의 다양한 도구를 전문 코칭에 활용해 코칭의 효과를 향상하는 데 도움을 줄 수 있다고 했다. 현재 '디자인 씽킹 코칭'은 검증된 개별적인 도구를 연결하고 융합하여 실행의 효과를 향상한 강력한 실행 도구로서 성장하고 있다.

디자인 씽킹은 혁신의 시작이었다

1990년대에 등장한 디자인 씽킹은 '디자인'에 대한 일반적인 개념을 확장하여 당시 기술과 비즈니스, 사회 등 다양한 분야에서 혁신을 일으켰다. 디자인 씽킹 방법론과 도구들은 인간공학(human-factors engineering)에서 유래를 찾아볼 수 있다. 애플(Apple)에서 '사용자경험(user experience)'이라는 용어를 만들고 제품에 적용하여 혁신을 이루면서 '사용자경험'이라는 용어는 이제 제품개발, 마케팅, 디자인, 경영 등 다양한 분야에서 주요 전략으로 자리 잡았다.

디자인 씽킹은 마인드맵, 스토리보드, 페르소나, 프로토타입, 고객 여정 지도, SWOT 분석, 브레인스토밍 등 이외에도 다양한 도구를 활용한다. 이도구들은 창의적인 문제 해결과 아이디어를 시각화하고 개발하는 데 도움을 준다. 각 도구가 가진 특성을 이해하고 특정 상황이나 프로젝트의 요구에 따라 선택적으로 사용하며 개별 콘텐츠에 응용해서 활용할 수 있다. 그렇지만 요즘 디자인 씽킹은 전성기를 떠나 새롭게 등장한 다양한 방법론에 밀리게 되며 뒤로 물러선 분위기이다.

디자인 씽킹의 한계에 부딪혔다

디자인 씽킹은 사용자들의 문제에 '공감(empathy)'하면서 크고 까다로운 문제들을 해결할 방법으로 인정을 받았다. 포스트잇이나 보드에 아이디어를 가득 채우면서 여정은 시작된다. 공감 이후에는 문제를 재구성하고 각 사항에 대해 가능한 해결책과 시안에 대한 아이디어를 내는 브레인스토밍을 거친 후, 그 시안을 최종 사용자에게 시험해 보고, 마지막으로 실행에 들어간다. 그러나 디자인 씽킹 컨설팅 회사들은 보통 실행 단계를 수행하지 않는다. 회사의 컨설턴트가 고객사에 일련의 '제안 사항'을 전달할 뿐이었다.

이런 점은 내가 디자인 씽킹과 사용자경험 전문가라는 타이틀을 가지고 25년을 넘게 커리어를 쌓아오며 가장 많은 아쉬움이 남아있던 부문이다. 외부에서 사용자경험 컨설턴트로서 보고서 제출까지만 책임지는 프로젝트는 그 이후 수행에 대해 실효를 거두고 성과에 대한 객관적 모니터링 결과까지 보지 못한다는 점은 치명적이다. 그래서 가능하면 컨설팅과 이어서 개발까지 참여하려고 애썼다.

디자인 씽킹의 가치는 실행이 결정한다

그러나 내부에서 컨설턴트 역할을 할 때는 결과가 다르다. 예를 들어 S사 조직 내부에서 사용자경험 컨설턴트로서 근무하며 다양한 문제를 해결하기 위한 디자인 씽킹 방법론과 도구들을 활용하였다. 하나의 도구에 집착하지 않고 다른 것들과 연결하며 확장해 갔을 때 내 역량의 범위를 넘어서는 성공적인 결과를 가져온다는 것을 실무적 경험을 통해 알게 되었다. 연결하며 확장한다는 것은 주로 실행에 관한 것이다. 창의적 혁신안들이 제대로 실행되지 못한다면 무슨 소용이 있을까 깊은 고뇌의 시간을 갖기도 했다. 디자인 씽킹의 가치는 결국 실행이 결정한다는 것을 깊이 깨달았다.

코칭과 NLP를 통해 실행의 힘을 찾았다

경영학 박사학위를 받고 나서 미래를 향한 커리어의 성장을 위해 선택한 것은 코칭과 NLP이다. 코칭과 NLP는 국제 자격증 과정을 이수하며 집중하여 공부하였고 지금도 배움은 계속된다. 나의 강점인 전략, 행동, 최상화, 개별화, 연결성을 발휘해서 디자인 씽킹 역량과 코칭, NLP를 통해 배운 것을 연결할 수 있겠다는 생각이 들었다. 코칭과 NLP가 개인의 성장을 위해서 가지고 있는 공통점은 자기 이해와 존재의 발견을 통해 자신감을 향상하고, 자기 계발, 목표 달성, 자기 행동에 대한 책임을 이해하고 극복하는 데 도움을 준다는 것이다. 이것은 지속적인 실천이 뒷받침되어야 하는 일이다.

'디자인 씽킹 코칭' 프로그램을 제작하다

코칭과 NLP는 자신이 세운 목표의 달성을 위해 실천하면서 앞으로 나아가게 할 힘이 있다. 특히 타인과의 공감적 의사소통과 커리어 개발, 기술 향상 그리고 학습 능력향상 분야에서 탁월한 결과를 가져올 수 있다. 앞서 얘기한 디자인 씽킹의 한계인 실행 단계를 극복할 수 있겠다는 강력한 힘이 있다는 것을 확인하였으니 이제 디자인 씽킹에 코칭과 NLP를 연결해야겠다고 다짐했다. 이렇게 미션을 정하고 '디자인 씽킹 코칭 프로그램'을 제작하고 있다.

대학 강의에서 수백 명의 학생들에게 디자인 씽킹 코칭을 통해 긍정적인 변화를 불러오는 수많은 사례를 확인하였다. 그리고 성인 대상 워크샵에서 디자인 씽킹 코칭 프로그램을 커리어 플랜 세우기, 공감적 의사소통, 문제 해결과 의사 결정 등 다양한 주제에 활용해 오고 있다. 성인 대상 워크샵은 평생 배움이 필요한 열정을 가진 참가들이 많다. 이들은 디자인 씽킹 코칭이 주는 강력한 주제 '커리어 플랜 세우기'를 위한 디자인 씽킹 코칭을 먼저 소개하고자 한다. 이 책에서는 단계별 한 개의 도구를 제시하고 안내한다. 실제 워크샵에서는 고객에 맞추어 단계마다 더 많은 디자인 씽킹 도구들과 코칭 프로세스 그리고 NLP 스킬을 융합하여 적용하고 있다.

> "디자인 씽킹 코칭 분야에서 탁월한 역량을 발휘하는 것은
> '경험 전문가'로서 나의 경력을 성장시킨 결과로써,
> 지극히 자연스러운 일이다." – 이현주

커리어 플랜의 이해

커리어 플랜은 무엇인가

커리어 플랜(Career Plan)은 자신의 미래 경력에 대한 목표를 명확히 설정하고, 각 경력 목표를 달성하기 위한 지식과 기술, 구체적인 실행 계획을 설정하는 것을 말한다. 구체적으로 설명하면 자신의 강점, 약점, 관심사 그리고 가치를 이해하는 것이 중요하다. 이를 기반으로 자신의 경력 목표가 설정이 되어야 한다. 경력 목표는 단기와 장기로 구분하여 목표가 설정되어야 하며 구체적이고, 측정할 수 있으며, 달성할 수 있어야 한다. 원대한 꿈을 꾸더라도 현실적으로 자신과 연관된 것을 목표로 설정하고 실행계획을 수립해야 한다.

경력 목표에서는 직무에서 요구되는 필요한 기술과 지식이 있어 이를 습득하기 위한 교육 계획을 세워야 한다. 일반적인 업무를 넘어 전문가가 되려고 하면 더 상위 수준의 교육이 필요한 경우가 많다. 이 교육은 정규 대학교의 교육뿐만 아니라 다양한 교육기관과 미디어를 활용해 자기 기술과 지식역량을 향상할 수 있다. 공학적인 기술이나 전문업무에 필요한 지식뿐만 아니라 조직관리나 인간관계 부분도 개인의 커리어 성장에 중요한 부분이다. 예를 들어 경력자가 되어 더 책임 있는 일을 하고 팀의 리더가 되려면 의사소통이나 리더십 역량이 조직으로부터 요구되며 이를 위한 지속적인 자기 계발과 학습이 필요하다.

실제 업무의 경험을 쌓기 위해 계획을 세우고 그 경험을 통해 자신의 커리어를 발견하는 기회를 얻게 된다. 커리어의 발전은 혼자 잘해서 되는 것이 아니고 조직 내 동료, 동종 업계 사람들, 유사 업종의 인적 네트워크 등 사람을 통해서 경력 발전을 이루는 경우가 많다. 개인적으로 가장 중요하게 생각하는 부분이다. 그리고 자신의 현재 경력의 시장 상황, 기술의 변화 그리고 개인적 상황에 따라 커리어 플랜을 조정할 수 있는 유연성을 갖추는 것이 중요하다. 이 유연성은 심리적 안정과도 밀접한 연관이 있다. 이 유연성이 높을수록 경력 불안이 낮고 장기적 관점에서 자신의 경력을 바라본다.

왜 커리어 플랜을 세우는가

커리어 플랜을 세우는 목적은 **자신만의 커리어 방향, 목표와 실행 계획을 세우고 그것을 실천하도록 하기 위한 것**이다. 커리어 플랜은 자신이 원하는 커리어 목표를 명확히 한다. 이를 통해 **무엇을 추구해야 하는지, 어떤 기술이나 경험이 필요한지 명확하게 이해**할 수 있다.

자신의 강점, 약점, 관심사 및 가치를 평가함으로써, 자신의 커리어 발전을 위해 **어떤 영역에 집중해야 할지 결정**할 수 있다. 또한, 커리어 플랜은 교육, 훈련, 직업 선택 등과 같은 중요한 결정을 내릴 때 유용한 기준이 되어 **효율적인 의사결정 수단**이 될 수 있다. 이것은 자신의 **시간과 자원을 어디에 집중해야 할지 결정**하는 데 도움을 주고 불필요한 활동에 시간을 낭비하지 않게 하여 더 생산적으로 만든다.

커리어 플랜을 세우는 목적은 여러 이유가 있지만 개인적으로 강조하고 싶은 부분은 동기부여 역할을 하는 것이다. 커리어 플랜을 세우면 목표를 향해서 실행하는 동안 어려움이 와도 주저앉지 않고 앞으로 나가는 힘을 얻을 수 있기 때문이다. 커리어 플랜의 이정표에 도달해 성취하는 경험을 가진다면 자기 확신과 함께 만족도와 성취도는 올라갈 것이다. 이것은 그 무엇보다 강력한 동기부여가 된다. 많은 사람이 자신의 커리어 플랜을 세우고 실행하며 커리어 성공을 위한 도구로 사용하고 있다.

이 책의 구성

이 책의 커리어 플랜 세우기 프로세스는 1부 커리어 탐색, 2부 커리어 플랜 세우기 그리고 3부 실행 모니터링으로 구성되어 있다.

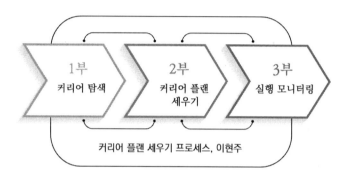

커리어 플랜 세우기 프로세스, 이현주

1부 커리어 탐색에서는 현재 삶 속에서 일과 삶의 균형을 라이프 휠을 통해 진단한다. 그리고 자기 강점, 약점 등을 식별해 가면서 커리어 역량을 분석하며 이를 기반으로 자신의 커리어를 탐색한다. 더불어 자신의 진로를 방해하는 것이 무엇인지 식별해 내고 어떻게 극복할 것인지 탐색한다.

2부 커리어 플랜 세우기에서는 자신이 진정으로 원하는 커리어의 비전을 가지고 장기 계획을 세운다. 이를 실행하기 위한 비전 선언문을 작성하여 커리어 플랜의 로드맵을 세운다. 그리고 개별 목표를 설정하여 이를 성취하기 위한 실행 계획을 세운다. 이제 자신만의 커리어 플랜을 세웠으며 삶 속에서 커리어를 성장시킨다.

3부 실행 모니터링에서는 실행 과정을 모니터링한다. 실행 중에 발생하는 다양한 일들에 어떻게 반응하고 모니터링할 것인지에 관한 것이다. 실행계획을 조정하는 상황은 무엇이며 실행력이 떨어질 때 어떻게 유지할 수 있는지와 다시 실행할 수 있는 행동 변화를 경험한다. 그리고 커리어 플랜을 실행하는 동안 발생하는 자신의 커리어 위기 상황을 구체적으로 이해하고 관리하는 것을 알아본다.

이 책의 흐름을 따라서 마지막까지 도달하였을 때 자신만의 커리어 플랜을 세울 수 있도록 도와주는 최상의 가이드가 되도록 구성하였다.

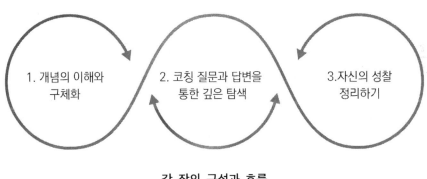

각 장의 구성과 흐름

각 장의 구성은 먼저 각 장의 주제에 대한 개념을 이해하고 의미를 구체화한다. 다음으로 구체화한 항목에 맞는 전문적인 코칭 질문에 답하며 자신의 상황에 맞는 깊은 탐색의 과정을 가진다. 여기서 모든 질문에 답하지 않아도 좋다. 자신과 연관된 질문에 있는 그대로를 드러내어 답을 하는 것이 중요하다. 마지막으로 자신이 답을 하며 얻은 성찰을 자신만의 언어로 정리하며 장을 마무리한다.

이 프로세스는 수많은 사람과 워크숍과 강의를 통해 '자신만의 커리어 플랜'을 세우는 데 현실적인 도움을 줄 수 있다는 실제적인 검증을 마쳤다. 이제 이 책을 읽는 독자들에게 진심을 담아 커리어 플랜을 세우고 성장하는 데 도움이 되기를 바란다.

1부 커리어 탐색

1장. 일과 삶의 균형 진단

내가 원하는 삶을 찾아서

최근 들어 일과 삶의 균형이 중요한 가치로 더욱 강조되고 있다. 과거에는 많은 사람이 업무에 더 많은 무게감을 두고 살아오면서, 업무에 대한 압박과 스트레스가 개인의 삶을 지배하는 경우가 많았다. 그러나 현재는 이러한 관점이 변화하고, 단순히 일 중심의 삶이 아니라 일과 삶을 균형 있게 조화시키는 '행복한 삶'에 대한 바람이 더욱 커지고 있다.

이러한 변화는 다양한 이유로 기인하고 있다. 먼저, 고도화되고 복잡해진 현대사회에서는 개인의 삶이 다양한 영역과 요소들로 이루어져 있어, 단순히 업무만으로는 풍요로운 삶을 누리기 어려워졌다. 더불어 업무에만 집중하다 보면 건강이 저하되고 가족 및 친구와의 소통이 부족해지는 등 다양한 부정적 영향을 초래할 수 있어서, 이에 대한 인식이 변화하고 있다.

또한, 고용 시장의 다양성과 새로운 직업 모델의 등장으로 인해 일과 삶의 균형을 유지하는 것이 현실적으로 가능해지고 있다. 일자리의 다양성과 유연성은 개인이 자신의 가치관과 욕구에 맞게 업무를 선택하고 삶의 다른 측면과 균형을 이룰 기회를 제공한다.

이러한 맥락에서, 개인은 더 나은 삶의 질을 추구하면서 일과 삶의 균형을 중시하는 흐름이 형성되어 가고 있다. 따라서 기업이나 조직에서도 일과 삶의 균형을 지원하고 활성화하는 방향으로 변화하고 있으며, 이는 더 행복하고 만족스러운 삶을 위한 중요한 기반으로 인식되고 있다.

나의 삶에서 일과 삶의 균형을 필요하다는 것을 명확히 인식하게 된 건 30대 초반에 과로로 쓰러져 응급실에 갔었을 때이다. 창업 후 몇 년 동안 프로젝트를 동시에 여러 개 진행하며 수면 부족과 스트레스로 몸이 더 이상 견딜 수 없었다. 회복 후에 다시 원래 상태로 돌아가 이전과 같이 일에만 집중하였다. 그런데 1주일 만에 다시 응급실에 실려 갔다. 그때 처음으로 죽음에 대한 두려움을 느꼈다. 일에 대한 열정과 애정이 아무리 강하다고 해도 과로로 죽는 건 삶에 대해 무책임한 것으로 생각되었다. 각성이 일어났다.

환경을 바꾸지 않으면 벗어나지 못할 것 같아서 그동안 미뤄왔던 유학을 결정하였다. 일하는 것이 내 삶의 전부였던 시대를 마감하고 일과 삶의 균형이 있는 삶, 내 몸이 내 이상을 실현하는 도구가 아니고 '나 존재 자체로서 인식'하는 삶을 살게 되는 전환점이 되었다.

이제 커리어 플랜을 세우는 첫 단계인 자기 일과 삶의 균형을 진단해 보자.

일과 삶의 균형을 진단하는 라이프 휠

라이프 휠(The Wheel of Life)는 1960년에 Success Motivation® Institute를 설립한 Paul J. Meyer가 만들어 현재는 일과 삶의 균형을 진단할 때 사용되는 유용한 도구이다. 폴 메이어의 라이프 휠은 삶의 균형에 대한 8개 항목 '자기 성장, 여가 생활, 주거 환경, 커리어, 재정, 건강, 친구와 가족 그리고 소중한 것'을 제시하였다.

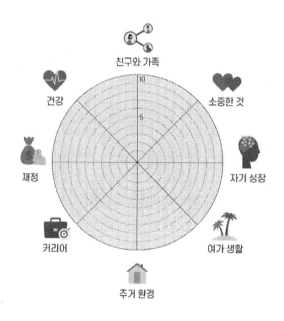

라이프 휠(The Wheel of Life), Paul J. Meyer

일과 삶의 균형을 진단 항목의 기본적인 이해와 실제 경험을 토대로 각 영역을 설명한다.

1. 자기 성장(Personal Growth)은 새로운 지식이나 기술을 배우고, 개인적인 잠재력을 개발하는 과정을 말한다. 예를 들어, 어떤 사람이 프로그래밍을 배워서 새로운 컴퓨터 언어에 능숙해지거나, 요가나 명상을 통해 정신적인 안정을 찾는 일도 자기 성장에 속한다. 이 과정은 자신의 취미나 관심사를 탐색하고, 그를 통해 자기 자신을 더 잘 이해하고 발전시키는 것에 대한 것이다.

2. 여가 생활(Fun & Leisure)은 일상의 스트레스에서 벗어나 즐거움을 찾고 휴식을 취하는 활동이다. 예를 들어, 취미로 그림을 그리거나, 친구들과 함께 등산을 가는 것, 혹은 좋아하는 책을 읽는 것 등이 여가 생활에 해당한다. 이러한 활동들은 개인의 삶에 활력을 주고 정신적, 신체적 건강에 긍정적인 영향을 미친다.

3. 주거 환경(Home Environment)은 개인이 생활하는 공간의 질을 의미하며, 편안하고 쾌적한 환경은 일상생활에 큰 영향을 미치게 된다. 집을 깔끔하고 조화롭게 꾸미거나, 작업 공간을 정돈하여 생산성을 높이는 활동이 주거 환경을 개선하는 방법이 될 수 있다. 자신이 머무는 공간이 자신을 지원할 수도 있고 방해할 수도 있기 때문에 주거 환경 부분은 좀 더 관심을 기울일 항목이다.

4. 커리어(Career)는 직업적 성장과 발전을 의미하며, 직업 외에도 자원봉사, 가정 돌보기 등 다양한 방식으로 경험하는 것들도 이 범주에 속한다. 예를 들어, 직장인이 승진을 위해 추가 교육을 받거나, 자원봉사자가 사회에 기여하며 경험을 쌓는 것, 또는 가정주부가 가족을 돌보며 자녀 교육에 힘쓰는 것도 이 항목에 넣어 살펴본다.

5. 재정(Money)은 개인이나 가정의 금융 상태를 관리하는 것을 말한다. 예산을 작성하고 저축하거나 투자하는 것, 또는 자신의 수입과 지출을 관리하며 재정적 안정성을 유지하는 활동도 재정 관리의 활동에 해당한다. 건강한 재정 관리는 경제적 자유와 안정을 가져다주는 삶의 중요한 항목이다.

6. 건강(Health)은 정신적 웰빙과 신체적 웰빙 둘 다를 의미한다. 예를 들어, 규칙적으로 운동을 하고 균형 잡힌 식단을 유지하는 것이 신체 건강에 좋고, 스트레스를 어떻게 관리할지에 대한 기술을 배우거나 충분한 수면을 유지하는 것도 정신건강에 도움이 된다. 건강한 생활 방식은 삶의 질을 높이고 질병을 예방하는 데 중요한 배경이 된다.

7. 친구와 가족(Friends and Family)은 개인의 사회적 지원망을 형성하며, 건강한 인간관계는 정신적, 감정적 웰빙에 필수적으로 뒷받침되어야 할 요소다. 친구들과 정기적으로 만나는 것, 가족 행사에 참여하거나 가족과 깊은 대화를 나누는 것도 이에 해당한다. 이러한 관계는 사랑과 소속감을 느끼게 해주며 삶의 만족도를 높이는 데 영향을 미친다.

8. 소중한 것(Significant Other)은 감정적 애정을 가진 동반자, 애인, 또는 반려동물을 포함해 개인에게 중요한 존재를 의미한다. 배우자와의 건강한 관계를 유지하거나, 연인과 깊은 유대를 강화하는 것, 반려동물과의 시간을 즐기는 것이 여기에 해당한다. 이러한 관계는 안정감과 행복을 주며, 개인의 정서적 안정에 기여하기 때문이다.

라이프 휠은 자신의 상황에 맞게 항목을 구체적으로 변경하여 사용할 수 있다. 다음 예시를 제시한다.

- 자기 성장(Personal Growth): 학습, 자기 계발
- 여가 생활(Fun & Leisure): 여가 즐기기, 취미생활, 레크리에이션
- 주거 환경(Home Environment): 회사 환경, 작업 환경
- 커리어(Career): 직업, 자원봉사, 가정 돌보기
- 재정(Money): 돈, 금융
- 건강(Health): 정신건강, 신체 건강
- 친구와 가족(Friends and Family): 동료, 인간관계
- 소중한 것(Significant Other): 파트너, 애인, 반려동물

나의 일과 삶의 균형 진단하기

1. 현재 자기 삶의 8개 항목에 대해 직관적으로 진단하여
   0점에서 10점 범위에서 점수를 표시하세요.
2. 점수를 이어서 면을 만들고 8개 항목의 균형을
   확인하세요.

예시

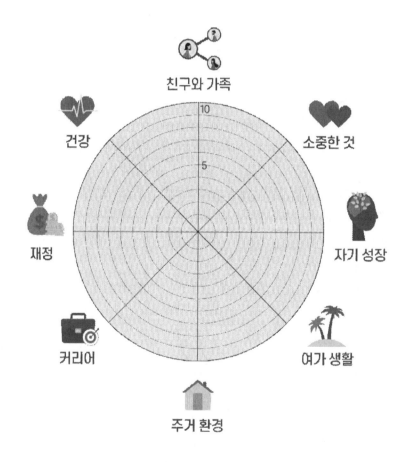

일과 삶의 균형 코칭 질문

자신이 일과 삶의 균형을 어떻게 이루고 있는지 8개 항목별 코칭 질문을 통해 현재 자기 일과 삶의 균형을 진단해 본다.

자가 진단을 위해, 다음과 같은 항목별 코칭 질문들에 답변을 해보자. 이 질문들은 자신의 현재 상황을 깊이 있게 이해하고 답변하는 과정에서 자기에게 필요한 변화를 발견하는 데 도움을 준다.

1. 자기 성장 Personal Growth

- 새로운 기술, 지식 또는 능력을 학습하고 싶은 욕구가 있나요?
- 최근에 마주한 어려움이나 도전 속에서 어떻게 자기 성장의 기회로 바꿀 수 있을까요?
- 현재의 목표와 비전이 개인적인 발전과 어떻게 연결되어 있나요?
- 자기 발전을 위해 일상에서 적용할 수 있는 새로운 습관이나 변화가 있나요?
- 자기 성장 목표를 달성하기 위해 어떤 도움이 필요한지 인식하고 있나요?

2. 여가 생활 Fun & Leisure

- 일상생활에서 자주 느끼는 기쁨과 즐거움은 무엇인가요?
- 어떤 여가 활동이 가장 큰 만족감을 주나요?
- 최근에 새로 발견한 즐거운 활동은 무엇인가요?

- 스트레스를 푸는 가장 효과적인 방법은 무엇인가요?
- 레저 활동을 통해 달성하고 싶은 목표나 꿈이 있나요?

3. 주거 환경 Home Environment

- 현재의 주거 환경이 만족스럽다고 느끼나요? 어떤 부분에서 만족스러움을 느끼고, 어떤 부분에서 개선이 필요하다고 생각하나요?
- 집에서 편안함과 안정감을 느끼기 위해 어떤 변화가 필요할 것 같나요?
- 주거 공간을 더 즐겁고 기능적으로 만들기 위해 할 수 있는 작은 변화는 무엇인가요?
- 주거 환경이 일상생활에 주는 영향에 대해 어떻게 생각하나요?
- 집에서의 시간을 더 유의미하게 보낼 방법이 있을까요?

4. 커리어 Career

- 현재의 직무나 직업에서 어떤 측면이 가장 만족스러운가요?
- 당신의 강점과 기술을 최대한 활용할 수 있는 직무가 무엇일까요?
- 진로나 커리어 목표를 달성하기 위해, 필요한 역량을 개발하는 데 어떤 노력을 기울이고 있나요?
- 현재의 직장에서 어떤 도전이나 기회를 마주하고 있나요?
- 앞으로의 커리어 계획을 세우기 위해 어떤 진로 개발 기회를 찾아보고 있나요?

5. 재정 Money

- 현재의 금전적 상황이 만족스럽게 느껴지나요? 어떤 부분에서 돈에 대한 스트레스를 느끼고 있나요?
- 재정적 목표를 설정하고 이를 달성하기 위한 계획이 있나요?
- 소비 습관을 평가하고 개선할 방법은 무엇인가요?
- 재정적인 안정감을 높이기 위해 현재 어떤 노력을 기울이고 있나요?
- 미래의 재정적 목표를 달성하기 위해, 필요한 자금 계획이나 투자에 대해 어떤 생각을 하고 있나요?

6. 건강 Health

- 현재의 건강 상태에 만족하고 있나요? 어떤 측면에서 개선이 필요하다고 생각하나요?
- 건강을 유지하기 위해 어떤 식단이나 운동 습관을 지니고 있나요?
- 스트레스 해소나 감정적인 안정을 유지하기 위해 어떤 건강 관리 활동을 하고 있나요?
- 건강한 삶을 위해 어떤 도움이나 지원이 필요한가요?
- 건강에 대한 관리를 통해 달성하고 싶은 목표나 꿈이 있나요?

7. 친구와 가족 Friends and Family

- 현재 친구나 가족들과의 관계에서 가장 만족스러운 부분은 무엇인가요?
- 더 효과적으로 소중한 사람들과 소통하는 방법은 무엇인가요?

- 가족이나 친구들과의 시간을 더욱 의미 있게 보내기 위해 어떤 계획이나 활동을 고려하고 있나요?
- 현재 친구나 가족 관계에서 도전적으로 느껴지는 부분은 무엇이며, 이에 대한 해결책을 고려하고 있나요?
- 친구와 가족 간의 관계에서 특히 중요하게 생각하는 가치나 원칙이 있나요?

8. 소중한 것 Significant Other

- 현재의 연인과의 관계에서 가장 큰 만족을 느끼는 순간은 언제인가요?
- 서로의 감정과 요구사항을 더 잘 이해하고 공유할 수 있는 방법을 찾고 있나요?
- 현재의 관계에서 발생하는 도전적인 상황에 대처하기 위해 어떻게 할까요?
- 연인과 함께 달성하고 싶은 목표나 계획이 있을 때, 이를 어떻게 협력하여 달성할 수 있을까요?
- 서로의 개인적인 성장과 발전을 지원하고 도울 방법에 대해 어떻게 생각하나요?

나의 일과 삶의 균형 정리하기

1. 자기 성장

2. 여가 생활

3. 주거 환경

4. 커리어

5. 재정

6. 건강

7. 친구와 가족

8. 소중한 것

이제 현재 나의 일과 삶의 균형을 라이프 휠을 활용해 진단한다. 진단 결과를 통해 얻은 결과를 생각하며 다음 장의 '진단 결과 내 삶에 통합하기' 워크시트에 답변을 작성해 보자.

일과 삶의 균형 진단 결과 내 삶에 통합하기

1. 발란스 휠 결과를 보고 자기 삶에 대해 어떻게 생각하나요?

2. 점수가 가장 낮은 항목에서 현재 어떻게 시간을 보내고 있나요?

3. 점수가 가장 낮은 항목에서 10점을 받으려면 어떻게 해야 할까요?

4. 가장 변화를 원하는 항목은 무엇인가요? 구체적으로 설명해 주세요.

5. 균형을 맞추어 만족하는 삶으로 변화시키기 위해 어떤 도움과 지원을 받을 수 있나요?

6. 모든 항목의 균형을 맞추기 위해서 해야 할 가장 중요한 조치는 무엇인가요? 어떻게 실행할 수 있나요?

2. 역량 분석

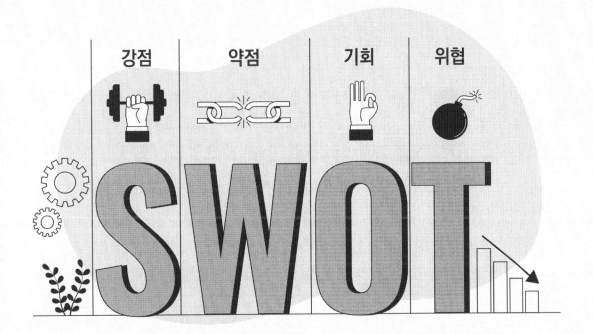

커리어 성공의 시작은 자기 역량 인식부터

커리어 역량은 개인이 커리어를 성취하는 과정에서 조직에서 성공적으로 행동하기 위한 지식, 기술, 및 태도를 의미한다. 장기적인 커리어 여정에서 만족하는 일을 찾기 위해서는 기술, 재능, 그리고 능력을 인식하고, 이를 달성하기 위해 커리어 역량을 개발하는 과정이 필요하다. 이 개인의 기술 및 역량과 자기가 선택한 커리어의 조화가 성공의 핵심이라고 할 수 있다.

커리어 개발을 위해 자신의 강점과 약점을 분석하고 정확히 인식하는 것은 중요한 필수 과정이다. 커리어 역량에 관해 대화하다 보면 자신이 소유한 능력을 과대 또는 과소평가하는 사례를 발견할 수 있다. 이런 경우에는 좀 더 객관적이고 전문적인 역량 진단 검사들을 통해 객관적인 상태를 확인하는 것을 추천한다. 예를 들어 갤럽의 강점 진단은 결과를 통해 자신의 강점을 심층 이해할 수 있고, 강점을 더 강화하는 방법과 잠재력을 극대화하기 위한 안내를 자세히 받을 수 있다.

이 글에서는 자신의 역량을 SWOT 매트릭스를 활용해 점검할 수 있다. 나는 정기적으로 나의 역량을 진단하며 커리어를 확장하고 성장시켜 왔다. 현재 나의 역량은 내가 어느 방향으로 커리어를 이동하고 싶은지에 따라 가치 평가가 달라질 수 있다. 내가 가진 강점이 커리어에서 필요로 하는 것이 아니라면 강점을 살릴 기회가 많지 않다.

다만, 이제 새로운 커리어를 시작하는 사람들은 다양한 경험이 필요하다. 경험을 통해 자신을 발견해 갈 기회를 얻을 수 있다. 또 자신의 약점이라고 생각했던 것이 커리어에서 빛을 발하며 성공하는 밑거름이 될 수도 있다. 강점과 약점을 인식한 상태에서 그것을 어떻게 이해하고 극복할지 전략을 세우는 것이 더욱 중요하다는 점을 강조한다.

SWOT을 활용한 역량 분석

SWOT 분석은 디자인 씽킹 도구 중 가장 많이 사용되는 분석 도구 중 하나이다. 이 강력한 분석 도구를 자신의 역량을 분석하는 도구로 활용할 수 있다. SWOT는 Strengths(강점), Weaknesses(약점), Opportunities(기회), Threats(위협)의 앞 글자를 의미한다. Strengths(강점)와 Weaknesses(약점)는 내적 요소이며, Opportunities(기회)와 Threats(위협)는 외적 요소로 구분한다.

- **강점 Strengths - 내적 요소:** 개인의 능력과 성향은 강점을 형성하는 기본적인 요소이다. 예를 들면 커뮤니케이션 능력이 강점이라면 효과적인 언어와 대화 기술을 보유하여 팀원들과의 원활한 소통을 도모하고, 이를 통해 프로젝트 목표를 명확하게 이해하고 효율적으로 업무를 진행할 수 있다.
  또한, 문제 해결 능력도 강점으로 꼽을 수 있다. 복잡한 문제에 대한 분석과 해결 능력을 활용하여 업무 과정에서 발생하는 도전에 대처하고 해결책을 마련하는데 탁월한 역량을 발휘할 수 있다. 성실성과 책임감, 학습 능력, 팀워크 등 커리어 측면에서 자신의 다양한 강점을 찾아보자.

- **약점 Weaknesses - 내적 요소:** 약점은 주로 개인의 성향 중 미흡한 면을 나타낸다. 예를 들어, 과도한 완벽주의가 약점이라면 세부 사항에

지나치게 신경 쓰는 경향으로 인해 프로젝트의 일정이 지연되거나 업무의 효율성이 저하될 수 있다. 이것이 약점으로 인식되었다면 이러한 완벽주의적 성향을 극복하기 위해 빠르고 효과적인 의사 결정을 향상하는 노력이 필요하다. 과도하게 업무를 자신이 끌어안고 있는 성향이나, 팀 대표로서 대중 앞에서 발표 업무가 많은데, 이에 대한 과도한 불안감을 가지고 있는 것도 극복해야 할 약점일 수 있다.

- **기회 Opportunities – 외적 요소** : 기회는 주변 환경에서 제공되는 유리한 상황이나 가능성을 나타낸다. 예를 들면, 현재의 기술 발전으로 인해 나의 전문 분야에 새로운 기회가 열릴 수 있다. 이러한 외부 기회를 최대한 활용하여 새로운 기술을 습득하며 성장의 기회로 삼을 수 있다.

국제적으로 비즈니스를 확장하고 싶은 경우에는 K-컬처의 인기가 기회일 수 있다. 비대면으로 지역 제한 없이 고객을 유치하거나 팀원을 모집하여 프로젝트를 할 수 있는 환경이 조성된 것도 기회가 될 수 있다. 커리어 성장의 돌파구가 될 외부 기회를 최대한 도출해 보자.

- **위협 Threats – 외적 요소** : 위협은 주변 환경에서 나타나는 부정적인 상황이나 도전적인 요소를 나타낸다. 예를 들어, 산업의 변화나 경제 불안 등의 요인으로 인해 구직 환경이 어려워질 수 있다. 특히 자동화와 인공지능의 기술적 성장으로 인해 자신의 업무가 대체되거나 입지가 축소되는 분야에 있다면 큰 위협이 된다. 또 사회와 서비스 산업에 전염병의 발생으로 인해 전면적인 타격을 받았지만, 반대로 누군가에겐 이것이 커리어 성장의 기회를 의미할 수도 있다.

외적 요소인 기회와 위협은 내가 어디에 속해 있는가에 따라 전혀 다른 모습으로 나타난다. 이에 대처하기 위해서는 유연성을 유지하고 새로운 기술을 습득하며 커리어 경험을 다양화하는 노력이 필요하다.

커리어 역량 코칭 질문

SWOT 항목의 코칭 질문에 답하면서 자기 커리어 역량을 분석한다. 역량은 상황에 따라 판단이 달라질 수 있다. 이 코칭 질문에 답할 때는 현재 시점과 상황을 기준으로 자신의 역량을 분석하는 것을 권한다.

강점 Strengths

- 자기 분야에서 나를 차별화하는 핵심 기술과 역량은 무엇인가요?
- 지금까지 경력에서 어떤 성과와 성공을 거두었나요?
- 동료, 상사, 고객으로부터 어떤 긍정적인 피드백이나 평가를 받았나요?
- 직업적으로 성공할 수 있는 자신만의 독특한 자질이나 특성은 무엇인가요?
- 변화에 스스로 얼마나 잘 적응하고 있으며, 새로운 기술을 배우고 적용하는 능력은 어떤가요?

약점 Weaknesses

- 어떤 영역에서 개선이나 추가 교육이 필요한가요?
- 커리어 발전을 방해할 수 있는 기술이나 지식 격차가 무엇인가요?
- 일의 어떤 측면이 도전적이거나 어려움을 겪게 하나요?
- 부정적인 피드백을 받았거나 업무수행에 대한 문제가 발생한 적이 있나요?
- 스트레스와 압박감을 얼마나 잘 처리하고 있으며 대처하는 방법을

알고 있나요?

기회 Opportunities

- 커리어 성장을 위해 자신이 속한 업계의 어떤 추세나 발전을 활용할 수 있는 부분이 있나요?
- 자기 전문성을 커리어 개발에 어떻게 활용할 수 있나요?
- 현재 보유한 기술은 미래 사회에서 수요가 있는 기술인가요? 다른 기술 분야와 연결 할 수 있나요?
- 장기적인 커리어 목표에 도달하기 위해 이 기회를 어떻게 활용할 수 있나요?
- 과거에 기회를 성공적으로 활용한 경험이 있다면, 그 경험에서 배운 점은 무엇인가요?

위협 Threats

- 커리어에 부정적인 영향을 미칠 수 있는 외부 요인(경제적, 기술적 등)은 무엇인가요?
- 현재 직업이나 업계의 잠재적인 방해물이나 어려움은 무엇인가요?
- 현재 직업은 얼마나 안전한가요? 잠재적인 규모 축소나 구조 조정 문제가 예상되나요?
- 보유한 기술을 쓸모없게 만들 수 있는 새로운 기술이 현재 존재하거나 가까운 시기에 나올 수 있나요?
- 자기 분야의 경쟁 수준은 어느 정도이며, 어떻게 경쟁에서 앞서 나갈 수 있나요?

이제 코칭 질문을 통해 도출된 자신의 역량을 각 항목에 5개~10개 목록을 만들어 보자. 컴퓨터에서 빠르게 워드로 적고 수정하는 것 보다 노트에 자유롭게 적는 것을 추천한다. 펜으로 천천히 생각을 정리해 가며 목록을 만드는 것이 이 단계에서는 더 도움이 된다. 다음 장의 '나의 역량 SWOT 분석하기' 워크시트에 바로 작성해 보자.

나의 역량 SWOT 분석하기

강점 Strengths
_____

-
-
-
-
-

약점 Weaknesses
_____

-
-
-
-
-

기회 Opportunities

-

-

-

-

-

위협 Threats

-

-

-

-

-

★ 나의 강점, 약점, 기회, 위협 요소 중 새롭게 발견한 것은 무엇인가요?

★ 나의 역량 분석을 통해 어떤 것을 깨달았나요?

역량 강화 코칭 질문

SWOT 도구를 활용하여 강점, 약점, 기회, 위협을 도출한 것은 역량 강화 전략을 세우기 위한 것이다. 도출된 내용을 확인하는 데 그치는 것이 아니라 한 단계 나아가기 위해서는 전략을 세워야 한다. 이것이 나의 역량을 분석하는 과정의 핵심이다. 위에서 도출된 역량을 기반으로 강점을 극대화하고, 약점을 해결하고, 기회를 활용하고, 위협을 완화하기 위한 전략을 개발할 수 있다. 강점, 약점, 기회 그리고 위협을 연결하여 총체적인 역량 강화 전략을 세운다. 다음 질문에 답하면서 자신에게 맞는 전략을 세운다. 단언컨대 이 질문들에 모두 답할 수 있다면, 커리어를 성장시킬 위대한 힘을 가진 사람이 분명하다.

1. 강점-기회 (SO 전략)
나의 강점을 활용하여 기회를 잡기 위한 방법을 모색한다.

1. 내 강점 중 어떤 것이 현재 기회를 잡는 데 가장 유용할까요?
2. 이러한 기회를 활용하기 위해 내 강점을 어떻게 더 발전시킬 수 있을까요?
3. 내 강점을 어떻게 구체적으로 활용하여 이 기회를 최대한 활용할 수 있을까요?
4. 현재 기회를 활용하는 데 있어서, 내가 간과하고 있는 강점은 무엇일까요?
5. 이 기회를 통해 내 강점을 어떻게 더 널리 알릴 수 있을까요?

6. 이 기회를 통해 내가 달성하고 싶은 구체적인 목표는 무엇인가요?

7. 내 강점을 활용하여 이 기회를 어떻게 지속 가능하게 만들 수 있을까요?

8. 이 기회를 통해 내 커리어에 어떤 긍정적 변화가 생길 수 있을까요?

9. 내 강점을 활용해 이 기회를 다른 사람과 공유하거나 협력할 방법은 무엇일까요?

10. 이 기회를 통해 내 커리어에서 다음 단계로 나아가기 위해, 필요한 것은 무엇일까요?

2. 강점-위협 (ST 전략)

나의 강점을 활용하여 직면한 위협을
최소화하거나 극복하는 데 중점을 둔 방법을 모색한다.

1. 현재 직면한 위협 중 내 강점을 활용하여 극복할 수 있는 것은 무엇인가요?

2. 내 강점을 어떻게 사용하면 이 위협을 기회로 전환할 수 있을까요?

3. 이 위협을 최소화하기 위해 내가 더 개발해야 할 강점은 무엇인가요?

4. 위협 상황에서 내 강점을 어떻게 효과적으로 전시할 수 있을까요?

5. 이 위협으로부터 배울 수 있는 점은 무엇이며, 이를 어떻게 내 강점과 연결할 수 있을까요?

6. 이 위협을 관리하거나 극복하는 데 있어 내가 가진 독특한 강점은 무엇인가요?

7. 내 강점을 활용하여 장기적으로 이러한 종류의 위협에 대처할 방법

은 무엇일까요?

8. 현재 위협에 대응하는 과정에서 내 강점을 어떻게 더 강화할 수 있을까요?

9. 위협에 직면했을 때 내 강점이 어떻게 나를 지탱해 줄 수 있는지 구체적인 예를 들 수 있나요?

10. 이 위협을 통해 내 강점을 어떻게 더 발전시킬 기회로 삼을 수 있을까요?

3. 약점-기회 (WO 전략)

나의 약점을 인식하고 이를 극복하면서
동시에 기회를 활용하는 방법을 모색한다.

1. 현재 기회를 활용하기 위해 내가 극복해야 할 주요 약점은 무엇인가요?

2. 이 기회를 최대한 활용하기 위해 내 약점을 어떻게 개선할 수 있을까요?

3. 내 약점을 극복하는 과정에서 얻을 기회는 무엇인가요?

4. 내가 가진 약점을 고려할 때, 이 기회를 활용하기 위해, 필요한 추가적인 지원이나 자원은 무엇일까요?

5. 내 약점을 인정하고 이를 개선하기 위해 어떤 구체적인 조처를 할 수 있을까요?

6. 이 기회를 통해 내 약점을 어떻게 강점으로 전환할 수 있을까요?

7. 이 기회가 내 약점을 극복하는 데 어떻게 도움이 될 수 있을까요?

8. 약점을 극복하는 과정에서 어떤 새로운 기술이나 지식을 배울 수 있

을까요?

9. 내 약점을 극복하기 위해 세울 수 있는 단기 및 장기 목표는 무엇일까요?

10. 이 기회를 활용하면서 내 약점에 대한 이해를 어떻게 깊게 할 수 있을까요?

4. 약점-위협 (WT 전략)

나의 약점을 최소화하고 동시에 위협을 피하거나
대처하는 방법을 모색하는 데 초점을 둔다.

1. 현재 내 약점이 어떻게 이 위협에 영향을 주고 있나요?

2. 이 위협을 피하거나 최소화하기 위해 내 약점을 어떻게 관리할 수 있을까요?

3. 이 위협에 대해 내 약점을 개선하기 위해 어떤 구체적인 조처를 할 수 있을까요?

4. 이 위협을 대처하는 과정에서 내 약점을 어떻게 보완할 수 있을까요?

5. 내 약점을 최소화하기 위해, 필요한 추가적인 지원이나 자원은 무엇인가요?

6. 이 위협과 관련하여 내가 더욱 주의 깊게 다루어야 할 약점은 무엇인가요?

7. 내 약점을 인정하고 이를 개선하는 데 있어서 가장 큰 장애물은 무엇이며, 이를 어떻게 극복할 수 있을까요?

8. 이 위협을 통해 내 약점에 대한 인식을 어떻게 깊게 할 수 있을까

요?

9. 위협에 대응하면서 내 약점을 어떻게 더 잘 이해하고 개선할 수 있을까요?

10. 장기적으로 이러한 약점과 위협을 어떻게 관리할 수 있을까요?

이제 코칭 질문을 통해 도출된 답을 정리하고 자신의 역량 강화를 위한 전략을 세운다. 다음 장의 '나의 역량 강화 전략 세우기' 워크시트에 바로 작성해 보자.

나의 역량 강화 전략 세우기

---

1. 강점-기회 (SO 전략)
나의 강점을 활용하여 기회를 잡기 위한 방법

-

-

-

-

-

-

-

-

-

2. 강점-위협 (ST 전략)
나의 강점을 활용하여 직면한 위협을 최소화하거나 극복하는 데 중점을
둔 방법

-

-

-

-

-

-

-

-

-

3. 약점-기회 (WO 전략)
나의 약점을 인식하고 이를 극복하면서 동시에 기회를 활용하는 방법

-
-
-
-
-
-
-
-
-
-

4. 약점-위협 (WT 전략)
나의 약점을 최소화하고 동시에 위협을 피하거나 대처하는 방법을
모색하는 데 초점

-
-
-
-
-
-
-
-
-
-

3장. 커리어 탐색

로직트리 Why, How, What 커리어 탐색

내 커리어는 　잘 성장하고 있는가?

자아 탐색, 커리어 탐색

커리어 탐색은 자신의 직업적인 관심사, 능력, 가치관, 그리고 목표를 탐구하고 이해하는 과정을 의미한다. 이 과정을 통해 자신에게 맞는 커리어를 찾을 수 있고 커리어 플랜을 세울 수 있는 자원을 발견할 수 있다. 1장. 일과 삶의 균형과 2장. 역량분석에서 자신 커리어 탐색에 대한 큰 배경은 형성이 되었다. 이제 커리어 탐색 과정에서 고려해야 할 요소들을 살펴본다. 이 요소들은 그동안 내가 거의 다 경험한 것이다. 그 경험들을 통해 커리어가 계속 성장할 수 있는 탐색의 시간이었다고 말할 수 있다.

자기 이해와 자아 발견

커리어 탐색은 자기 이해와 자아 발견에서 시작한다. 커리어를 성장시키고 싶다면 현재 커리어에 대한 지금의 내 마음을 들여다보고 현 상황을 객관적으로 바라보며 스스로에 대한 자기 탐색 과정을 해야 한다.

> "자기 이해와 자아 발견 단계는
> 커리어라는 항해를 떠나면서 어디로 갈 것인지 방향을 잡는 것과 같다."

취업 준비, 신입, 경력, 은퇴자, 사업자 등 여러 상황에 따라 그에 맞는 질문을 한다면 더 깊고 근원적인 답을 할 수 있다. 커리어 플랜을 세우고 나서도 자기 커리어에 대한 마음의 변화, 생각의 정리 그리고 의사 결정이 필요한 상황은 계속 발생한다. 자신에 대한 이해가 좀 더 분명하다면 커리어 탐색도 더 명확해진다.

나의 커리어에 대한 탐색이 절실하게 필요했던 경우이다.

- 채용 제시를 받은 두 회사 중 한 곳을 선택할 때
- 내가 원하는 업무를 할 수 있지만 연봉은 낮은 회사의 입사 제안을 받았을 때
- 그동안 쌓아온 커리어를 모두 정리하고 유학을 가야 할지 고민할 때
- 유학을 마치고 해외 취업과 국내 취업을 선택해야 할 때
- 창업한 회사의 실적이 부진해서 재취업을 해야 하는지 고려하게 될 때
- 주변 지인들이 현재 회사에서 퇴직하고 동업하자고 하는데 확신이 없을 때
- 글로벌 회사에서 프리랜서 고용 형태에 만족하고 있는데 정규직 전환 제안을 받았을 때
- 관심과 흥미가 가는 일을 발견했지만, 직업으로 전환할 용기가 없을 때
- 나의 업무와 연관성이 낮은 조직의 T/F에 참여할지 고민하게 될 때
- 연봉 협상할 때

그리고 오랫동안 나 스스로 끊임없이 하는 질문들이 있었다.
- 내가 현재 이 일을 선택한 이유는 무엇인가?
- 현재 하는 일의 어떤 점에 만족하는가? 만족하지 못하는가?
- 내가 가장 즐겁게 하는 일은 무엇인가? 그것과 관련된 직업은 어떤 것일까?
- 새로운 직업을 갖는다면, 어떤 직업을 가지고 싶은가? 어떤 동료들, 어떤 고객과 함께하고 싶은가?

직업탐색

　직업탐색 과정에서 중요한 단계 중 하나는 다양한 직업에 대한 정보를 수집하고, 이를 통해 자신의 커리어 목표와 어떻게 일치하는지를 파악하는 것이다. 먼저 커리어 정보를 수집해야 한다. 다양한 직업의 특성, 요구사항, 미래 전망 등을 이해하여 자신의 흥미, 능력, 가치관과 일치하는 직업을 찾는 것이다.

　커리어 정보는 전문 커리어 사이트, 정부 발행 직업 가이드, 전문가 인터뷰, 업계 보고서 등 다양한 출처에서 얻을 수 있다. 이 과정에서 자신이 원하는 일의 주요 업무, 역할, 책임 등을 파악하게 된다. 이와 더불어 근무 시간, 근무 환경, 여행 요구사항, 그리고 원격 근무 가능성도 조사할 수 있다. 해당 업무를 하기 위한 교육 요건도 명확히 이해하고 최소 교육 수준을 요구하는지 특정 자격증이 필요한지 그리고 필요한 기술 등을 확인한다.

　임금도 정보 수집 단계에서 범위를 확인해야 한다. 커리어를 시작에서 최고 임금의 단계까지 임금 수준과 성장 가능성을 조사해야 한다. 많은 직장인이 업무에 비해 임금이 적다고 생각하고 불만족스러워 한다. 임금이 아주 중요한 커리어 결정 요소라면 미리 조사해서 인생의 재무계획에 반영되어야 한다. 그리고 중요하게 탐색해야 할 부분이 자기 커리어의 미래 전망이다. 직업의 미래 수요와 성장률 그리고 직업 안정성 등을 파악해야 한다.

네트워킹

　직업탐색 과정 중 이미 해당 분야에서 일하고 있는 사람들과 연결함으로써 실질적인 조언, 정보, 그리고 기회를 얻을 수 있는 네트워킹의 힘이 중요하다. 실제로 자신의 범주를 넘어서서 점프하는 사람들을 만났을 때 특별한 계기가 있었는지 물으면 네트워킹 활동에서 기회를 찾은 사람이 많았다. 업계 컨퍼런스, 세미나, 워크샵 등에 참여하며 전문가들을 만나고 연결해서 실제적인 조언을 들을 기회도 만들 수 있다. 현재 업무에서 항상 만나는 사람들의 범위를 밖에서 얻어지는 인사이트를 가질 기회를 만들어야 한다.

인턴십과 자원봉사

인턴십은 특정 직업이나 산업에 대한 실질적인 경험을 통해 이해도를 높이고 실무적인 기술을 개발할 수 있다. 기업이나 기관에서 제공하는 인턴십은 대학생이나 졸업 예정자가 주 대상이지만 때로는 경력 전환자도 참여할 기회가 있다. 또한, 자원봉사 활동을 통해 자신이 원하는 커리어를 탐색할 기회를 얻을 수 있다. 비영리 단체, 지역 사회 기관 등에서 자원봉사 활동을 통해 관련 경험을 쌓는 기회를 최대한 활용하는 걸 추천한다. 인턴을 마치고 온 학생 중 커리어를 구체적으로 재정립하는 학생도 있고, 자기와 적성이나 조직문화가 맞지 않아 커리어 로드맵을 다시 세워야 한다는 학생도 있다. 둘 다 소중한 경험을 했고 인턴십의 이점을 제대로 활용했다고 할 수 있다.

나의 경우엔 그동안 다양한 자원봉사 활동에 참여했다. 그중 토론토의 비영리 디자인 기관인 Design Exchange에서 자원봉사 활동에 지원했던 것은 커리어에 연관되어 좋은 결과를 가져왔다. 뭐든지 다 경험할 마음의 준비가 되어 있어 특별히 원하는 항목에 표시하지 않고 모든 항목에 가능하다고 지원서를 작성하였다. 그래서 전시 도슨트, 어린이 학습실 지원, 전시물 배치, 포스터 디자인, 웹사이트 관리, 행사 코디네이터 등 다양한 활동을 했고, 각 활동에서 만난 사람들과 친구가 되었다. 몇 개월이 지났을 때는 직원들도 모두 알게 되어 졸업하면 채용지원을 하라는 오퍼를 받게 되었다. 이런 경험들은 자원봉사 활동이 사회적 기여나 자신의 신념을 실현하는 것뿐 아니라 커리어를 탐색하는 데도 큰 역할을 하게 된다는 걸 알게 되었다.

커리어 탐색을 위한 일반적인 고려 사항을 살펴보았다. 이제 자신의 커리어에 관해 로직 트리를 활용하여 논리적으로 탐색해 보자.

로직 트리를 활용한 커리어 탐색

로직 트리(logic tree)는 복잡한 문제를 일련의 더 작고 관리하기 쉬운 하위 문제로 체계적으로 나누는 의사 결정 프로세스를 그래픽으로 표현한 것이다. 의사 결정 트리(decision tree) 또는 트리 다이어그램(tree diagram)이라고도 한다.

로직 트리는 복잡한 시스템을 모델링하고 의사 결정을 돕기 위해 비즈니스, 재무, 엔지니어링 같은 분야에서 많이 사용된다. 또한, 학생들이 문제의 논리적 구조와 가능한 해결책을 이해하도록 돕기 위해 교육과 문제 해결에 사용할 수 있다. 나는 몇 년 동안 커리어 플랜을 위한 자기 탐색 과정에서 대학생과 경력직 대상으로 로직 트리를 코칭 질문과 연결하여 활용하였다.

현재 자신의 커리어 경로를 탐색하는 과정에서 디자인 씽킹의 강력한 도구인 로직 트리를 활용할 수 있다.

로직 트리는 크게 세 가지 유형으로 나뉜다. 첫째인 'Why tree'는 나는 이 일을 왜 하고 있는가?에 관해 묻는다. 자신의 커리어 문제의 근본 원인을 분석하는 데 사용된다. 예를 들어, 승진이 지연되고 있다면 Why tree를 통해 기술의 부족, 네트워킹의 부재나 업무 성과의 부족 등 다양한 원인을 탐구할 수 있다. 그리고 자신이 왜 이 커리어에서 성공하고 싶은지에 대한 심도 있는 자기 이해와 자기 확신에 대한 재확인 단계가 될 수 있다.

두 번째 'How tree'는 나의 커리어를 어떻게 성장시킬 수 있을까?에 대한 것이다. 이 질문들은 커리어 성장을 위한 구체적인 해결책을 도출하는 데 유용하다. 예컨대, 리더십 기술을 향상하기 위해 멘토링 프로그램에 참여하거나, 관련 교육 과정을 수강하는 방안을 이 유형에서 구체적으로 찾을 수 있다.

마지막으로, 'What tree'는 나의 커리어를 위해 무엇을 해야 하는가?를 구체화한다. 커리어 목표를 달성하기 위해 구체적으로 어떤 행동을 취해야 하는지 실제적인 탐색에 도움을 준다. 예를 들어, 새로운 직무를 얻기 위해서는 이력서를 업데이트하고, 네트워킹을 강화하며, 면접 기술을 익히는 등의 단계적 접근 방법을 모색할 수 있다.

이처럼 로직 트리를 활용하면 커리어 문제를 명확히 진단하고, 효과적인 해결책을 모색하며, 구체적인 실행 계획을 세울 수 있어, 커리어 개발에 큰 도움이 된다. 커리어가 고민인 사람에게 이 로직 트리를 활용한 코칭 질문을 했을 때 자신에 대한 이해와 커리어 탐색의 구체화가 많이 일어나는 단계이다. 이제 자기 커리어 탐색에 활용해 보자.

커리어 탐색 코칭 질문

로직 트리를 활용한 커리어 탐색은 단순히 가능성을 모색하는 데 그치지 않고, 개인이 실질적인 행동을 끌어내야 의미가 있다. 그러기 위해서는 자신에게 맞는 질문들을 스스로 생성하여 내면을 들여다보는 깊은 탐색이 필요하다. 로직 트리 각 항목의 코칭 질문에 답하면서 자신의 커리어를 탐색해 보자.

나는 이 일을 왜 하고 있는가? - Why tree

1. 왜 경력을 쌓고 싶은가요?
2. 특정 진로를 추구하는 이유는 무엇인가요?
3. 특정 회사나 조직에서 일하고 싶은 이유는 무엇인가요?
4. 추가 교육이나 훈련을 받고 싶은 이유는 무엇인가요?
5. 자신이 선택한 직업에서 성공할 것이라고 믿는 이유는 무엇인가요?
6. 왜 진로를 바꾸고 싶은가요?
7. 성공적으로 경력 변경을 할 수 있다고 믿는 이유는 무엇인가요?
8. 왜 사업을 시작하고 싶은가요?
9. 사업에 성공할 수 있다고 믿는 이유는 무엇인가요?
10. 일과 삶의 균형을 우선시하고 싶은 이유는 무엇인가요?

나의 커리어를 어떻게 성장시킬 수 있을까? - How tree

1. 자기 기술과 강점을 어떻게 분명히 알 수 있나요?
2. 다양한 진로 옵션을 탐색하려면 어떻게 해야 하나요?
3. 관련 업무 경험을 얻으려면 어떻게 해야 하나요?
4. 강력한 전문 네트워크를 구축하려면 어떻게 해야 하나요?
5. 이력서와 자기소개서를 개선하려면 어떻게 해야 하나요?
6. 취업 면접은 어떻게 준비할 수 있나요?
7. 급여 및 수당은 어떻게 협상할 수 있나요?
8. 일과 삶의 균형을 어떻게 유지할 수 있나요?
9. 기술과 지식을 어떻게 계속 개발할 수 있나요?
10. 내 경력이 직장과 지역 사회에 어떻게 긍정적인 영향을 미칠 수 있나요?

나의 커리어를 위해 무엇을 해야 하는가? - What tree

1. 경력 목표는 무엇인가요?
2. 강점과 약점은 무엇인가요?
3. 선호하는 작업 환경은 무엇인가요?
4. 선택한 직업에 필요한 기술은 무엇인가요?
5. 선택한 직업에 대한 수요는 무엇인가요?
6. 선택한 분야의 일반적인 커리어 경로는 무엇인가요?
7. 선택한 직업의 잠재적인 이점과 단점은 무엇인가요?
8. 일하고 싶은 회사나 조직의 문화는 무엇인가요?
9. 선택한 분야에서 계속 교육이나 훈련을 받을 기회는 무엇이 있을까

요?

10. 선택한 분야에서 커리어에 영향을 미칠 수 있는 것은 무엇인가요?

이제 커리어 탐색을 통해 도출된 내용을 자신의 언어로 정리한다. 다음 장의 '나의 커리어 탐색하기' 워크시트에 바로 작성해 보자.

나의 커리어 탐색하기

나는 이 일을 왜 하고 있는가? - Why tree

-
-
-
-
-
-
-
-
-
-

나의 커리어를 어떻게 성장시킬 수 있을까? - How tree

-

-

-

-

-

-

-

-

-

나의 커리어를 위해 무엇을 해야 하는가? - What tree

-

-

-

-

-

-

-

-

-

★ 나의 커리어 탐색을 통해 어떤 것을 깨달았나요?

★ 그 깨달음을 앞으로 어떻게 적용할 수 있을까요?

4장. 커리어 방해 요인 탐색

커리어
방해 요인

커리어 방해 요인의 이해

커리어 방해 요인은 개인의 직업적 성장과 발전을 저해하는 다양한 내외부적 요소를 의미한다. 이러한 방해 요인은 개인의 능력, 성격, 가치관, 건강 상태, 사회적 관계, 조직문화, 경제적 여건 등 다양한 요소에 의해 발생할 수 있다. 커리어 방해 요인은 커리어 플랜을 세우는 초기 단계에서 탐색하는 과정이 필요하다. 각 개인의 상황에 따라 방해 요인은 다양하게 나타날 수 있고 특정 방해 요인은 극복하기 위한 더 큰 도전과 노력이 필요하다.

커리어 방해 요인을 포괄적 측면에서 구분하자면 첫째는 개인적 측면에서 자신감 부족, 목표설정의 실패, 부적절한 커리어 계획, 스트레스 관리 실패, 전문성 부족 등이 있다. 이는 개인의 성장을 저해하고, 기회를 잃게 만드는 원인이 되고 자기 커리어뿐만 아니라 삶에 큰 영향을 미치는 요소이다.

둘째는 대인 관계 및 사회적 측면에서 동료, 상사와의 갈등, 부적절한 네트워킹, 직장 내 괴롭힘 또는 차별 등에 관한 요인이다. 이러한 요인은 직장 내 커뮤니케이션 장애와 부정적인 직장 문화를 조성하여 커리어 발전을 방해한다.

셋째는 조직 및 시스템적 측면에서 조직의 비효율적 관리, 불공정한 승진 시스템, 부적절한 교육 및 개발 기회의 부족 등이 있다. 이는 직원들의 동기부여를 저하하고, 개인의 성장 가능성을 제한 한다.

넷째는 경제적 여건과 시장 동향 측면에서 경기 침체, 산업의 변화, 기술 발전에 따른 직업의 소멸 등이 해당한다. 이는 개인이 직면한 외부적 환경의 변화로, 커리어의 방향을 바꾸거나 새로운 기술을 습득하는 등의 적극적인 대응이 필요하다.

커리어 방해 요인을 탐색하는 목적은 커리어 방해 요인을 인식하고 이에 대처하는 것이 개인의 커리어 발전에 있어 매우 중요하기 때문이다. 커리어 방해 요인을 이해함으로써 자신의 약점, 한계, 그리고 부족한 영역을 파악할 수 있어 자신에 대한 깊은 이해를 통해 더 효과적인 커리어 계획을 수립하는 데 도움이 된다. 자신의 방해 요인을 인지함으로써 이에 대처하고, 극복하는 전략을 세울 수 있어 직업적 성공을 위한 장애물을 제거하고, 장기적인 커리어 목표 달성에 중요한 역할을 하게 된다.

또한, 특정 방해 요인들은 추가적인 교육이나 훈련이 필요할 수 있다. 이를 구체적으로 탐색하여 자신에게 맞는 자신의 전문성과 기술을 향상하여 시장에서의 경쟁력을 높일 수 있기 때문이다. 그리고 커리어 방해 요인을 인식하고 대처하는 과정에서, 개인은 변화하는 환경에 더 잘 적응하고 유연하게 대응하는 능력을 개발할 기회를 얻는데 이것은 빠르게 변화하는 직업 세계에서 중요한 자질이다.

대인 관계나 조직 문화와 관련된 방해 요인을 이해하고 해결함으로써, 직장 내에서 더 긍정적인 인간관계를 형성할 수 있다. 이것은 직장에서 발생하는 스트레스와 번아웃 증후군 위험을 줄일 수 있고 장기적인 직업적 만족도와 건강한 직장생활을 유지하는 데 큰 도움이 된다.

결론적으로 커리어 방해 요인을 탐색하고 이에 대응하는 것의 중요성을 인식하는 것은 자기 커리어 성장과 개발을 위한 필수 단계이다. 이 방해 요인 탐색 과정을 통해 성공적이고 장기적 관점의 커리어를 구축할 수 있도록 하자.

커리어 방해 요인 탐색

커리어 성장을 방해하는 다양한 요인 중 7가지 주요 요인을 제시한다. 요인별 설명을 이해하고 각 요인 중 개인적으로 더 연관되는 요인은 무엇인지 탐색하고 여기에서 제시되지 않은 요인 중 자신만의 방해 요인은 무엇이 있는지를 식별해 낸다. 이제 자기 커리어의 방해 요인을 구체적이고 명확하게 탐색하는 경험을 가져보자.

1. 자기평가의 부재

자기평가의 부재는 자기 자신을 올바르게 평가하지 못하거나 자신의 강점과 약점을 인식하지 못하는 상태를 의미한다. 이는 진로나 커리어 개발에서 방향성을 찾기 어렵게 만들 수 있으며, 목표를 설정하고 달성하는 데 있어 어려움을 초래할 수 있다. 효과적인 커리어 플랜과 커리어 성공을 위해서는 자기 이해와 평가 능력을 정확하게 진단하고 상대적으로 부족한 부분을 향상해 가는 노력이 필수적이다. 자기 가치관, 역량, 강점과 단점, 성격과 행동유형 그리고 기술력 등을 주기적으로 평가하며 관리하는 것이 필요하다. 자기 성격유형을 파악하고 강점과 약점, 인간관계, 업무 성향 등에 연결하여 자기 커리어 성장을 개발하는 것은 중요하다.

성격유형검사인 MBTI를 예로 들어보자. 나는 2010년 처음으로 MBTI 검사를 시작한 후 5번 검사를 했는데 결과는 조금씩 달랐다. 검사 당시 타사 조직 안에서 근무하고 있었는지, 내 사업을 시작했는지에 따라 달라졌고, 집중하는 관심 업무가 무엇인지도 영향을 미쳤다.

- 2010. 12 ESTP 활동가형 - 타사 조직 내 근무
- 2017. 04 ENTJ-A 통솔자 - 자사 법인 설립
- 2019. 02 ESTP-A 사업가 - 사옥 건립 후 사업다각화
- 2021. 04 ENTJ-A 통솔자 - 조직 변경
- 2023. 02. INTJ 전략가 - 신규 사업 전략 집중

이렇듯 성격유형도 이력을 가지고 관찰하면 지금 내게 필요한 전략이 무엇이고, 앞으로 어떤 방향으로 행동해야 하는지 알 수 있다.

또 하나 자기 평가를 위해 추천하는 도구는 갤럽 강점 검사로 사람의 강점을 34개 강점 테마로 분류하여 검사 후 심층적인 진단과 분석이 가능하다. 나의 경우에 상위 테마는 5개로 결과가 나왔다.

1. 절친(Relator) 테마
2. 전략(Strategic) 테마
3. 행동(Activator) 테마
4. 최상화(Maximizer) 테마
5. 개별화(Individualization) 테마

이 테마는 내가 살아오는 동안 나의 행동을 잘 말해주는 테마들이다. 이 검사를 하고 그대로 수용하는 것이 아니라 강점을 더 강화하고 낮은 테마 순위에 있는 것들을 좀 더 끌어올리려고 노력하고 있다. 3년 뒤쯤 다시 하면 순위가 바뀔 것으로 예상한다. 각 테마의 강점을 강화하며 지속적인 성장의 자원으로 만드는 것이 중요하다.

2. 직무에 대한 불만족

직무에 대한 불만족은 개인이 현재 수행 중인 업무나 직무에 대해 만족하지 못하는 상태를 나타낸다. 이는 진로 개발에 영향을 미치며, 업무에 대한 긍정적인 동기부여를 얻기 어렵게 만들 수 있다. 직무에 대한 불만족을 해소하고 앞으로 만족할 수 있는 진로 방향을 찾기 위해서는 명확한 자기평가와 목표설정이 필요하다.

직무에 대해 만족하지 못하는 상태는 직업적 측면을 넘어서 삶의 행복에 직접적으로 영향을 미친다. 다양한 측면에서 직무 불만족 원인을 찾을 수 있지만 나의 경우는 장기적인 커리어 플랜과 거리가 먼 일을 기간이 한정되지 않은 상태에서 계속 해야 하는 상황이다. 이런 상황은 반드시 찾아오고 여러 번 발생한다.

직무 불만족 상태를 여러 번 겪으면서 깨달은 것은 이직, 퇴사, 전업, 창업, 유학 등을 망설이고 있을 때 이 직무 불만족이 심화하면 스스로 안정적인 환경을 벗어나서 모험을 떠날 수 있는 강력한 연료로 쓰일 수 있다는 것이다. 그래서 어떤 일을 할 때 '만족스럽지 않아, 즐겁지 않아, 행복하지 않아' 하는 내면의 외침을 자주 듣게 될 때는 '이제 새로운 커리어 여정을 떠날 때가 됐구나!' 하며 오히려 설레고 기대가 된다.

3. 전문기술 부족

전문기술 부족은 현재의 직무나 업무를 수행하는 데 필요한 특정한 기술 또는 전문 지식이 부족한 상태를 나타낸다. 이는 개인의 진로 발전을 제약하고, 산업 혹은 분야의 요구에 부응하기 어렵게 만들 수 있다. 전문

기술 부족을 극복하기 위해서는 지속적인 학습과 기술 향상이 필수적이다.

조직에서 요구하는 기술을 유지하고 전문적인 기술 역량을 갖추는 것은 많은 시간과 에너지를 쏟아야 가능하다. 25년 넘게 UX 전문가로 나의 커리어를 성장시키면서 고객 기업의 다양한 사업을 이해하고 해당 프로젝트의 사용자를 분석하여 시스템을 기획하거나 디자인 전략 컨설팅 업무를 해왔다. 급격히 변화하는 IT 기술의 발전에 맞추어 신기술 트렌드와 기술 환경 변화 그리고 실제적인 기술의 적용을 위해 배움을 쉰 적이 없다. 전문 기술을 보유하고 있다는 것은 경쟁력이 있고 커리어에서 자기 결정권이 많다는 것을 의미한다. 이것은 행복과 높은 상관관계가 있어 전문 기술 역량을 향상하는 노력은 반드시 필요하다.

4. 진로 명확성의 부재

진로 명확성의 부재는 개인이 미래의 진로나 경력에 대해 명확한 목표나 방향을 가지고 있지 않은 상태를 의미한다. 이는 개인이 자신의 역량을 최대로 발휘하고 성공적인 진로를 개발하는 데 어려움을 겪게 할 수 있다. 명확한 진로 목표를 설정하고 그에 따른 계획을 수립하는 과정이 필요하다.

진로에 대한 명확성은 관심 분야를 먼저 찾는 과정이 필요하다. 나는 사진에 빠져서 20대 초반을 보냈는데 순수사진 작가로 시작했지만, 시간이 흐르면서 상업용 사진을 찍는 일이 더 많아졌다. 상업용 사진을 필름 그대로 찍던 시절이라 나의 상상과 의도가 결과물로 잘 나오지 않아 점점 답답함을 느꼈다. 그래서 디자인 학교에 가서 드디어 내가 상상하는 것들을 시각화할 수 있었다. 이후 디자이너로 직업을 전환하고 커리어를 쌓다 보니 기획에 대한 관심이 생겨 유학을 가 디자인 경영을 공부하게 된다. 그 이후는 사용자 경험 디자인 전문가가 된다. 이 과정은 나의 관심을 따라 지식을 확장하고 그 진로가 명확해진 경우이다.

5. 커뮤니케이션 부족

커뮤니케이션 부족은 효과적인 의사소통 능력이 부족한 상태를 나타내는데 업무 환경에서 다른 사람들과 소통이 원활하지 않으면 업무 효율성이 저하되고 협업이 어려워진다. 개인의 의사소통 능력을 향상하고 상황에 맞게 적절한 소통 방식을 선택하는 것이 필요하다.

프로젝트의 팀원에서 프로젝트 총괄 매니저까지 경험하면서 깨달은 것은 각자의 입장과 당면한 상황에서 벗어나 동료나 다른 팀원들과 소통하기 어려운 경우가 많다는 것이다. 구조적 문제일 수도 있고, 구성원의 성격과 행동유형에 기인할 수도 있다. 리더가 되었을 때 가장 고민되었던 것도 커뮤니케이션이 원활한 팀을 만드는 것이었다. 다양한 시도를 해서 좋은 결과를 얻은 것 중 하나는 팀원에 대한 편견을 최소화하고 장점을 찾으려고 노력했을 때였다.

6. 스트레스와 워라밸

스트레스와 워라밸(work-life balance)은 업무와 개인 생활 간의 균형이 무너져 있어 개인이 지속해서 스트레스를 경험하는 상태로서 진로 개발에 부정적인 영향을 미치며, 목표 달성에 지장을 줄 수 있다. 워라밸을 유지하고 스트레스를 효과적으로 관리하는 방법을 찾는 것이 중요하다.

나의 일과 삶의 균형은 건강, 가족, 일, 여행, 배움 이 5가지의 균형이다. 상황에 따라 하나에 시간을 더 할애하고 집중하기도 하지만, 그 상황이 지나가면 또 다른 중요한 것에 매진하게 되고 나머지는 그것을 도와주는 지지역할을 하게 된다. 이 중 하나에 지나치게 치우쳐서 균형감이 잃지 않았는지 한발 멀리 떨어져서 바라보는 것이 중요하다. 시간이 흐르고 삶의 변화가 찾아온다면 다른 요소로 변경될 수 있다. 열린 마음으로 현재 상황에서 균형 있는 삶을 유지하고자 한다.

7. 조직 내 문화와의 불일치

조직 내 문화와의 불일치는 개인의 가치관이나 목표와 조직의 문화가 일치하지 않는 상태를 의미한다. 이는 개인이 조직에 적응하기 어렵게 만들 수 있으며, 진로 개발에 방해가 될 수 있다. 조직 내 문화와의 조화를 찾기 위해 개인은 자신의 가치와 조직의 가치를 평가하고 조절해야 한다.

커리어를 성장 과정에서 조직 문화가 얼마나 중요한지 알기에 강의에서 학생들에게 진로를 결정할 때 반드시 확인해야 하는 중요한 항목으로 조직 문화를 꼽는다. 외형적으로는 좋은 직장으로 평가되지만, 그 기업의 조직 문화와 내가 가진 가치관이 맞지 않으면 결국 퇴사를 하게 되는 요인이 된다. 그런데 조직문화가 자기와 잘 맞고 목표가 일치된다면 그보다 더 좋은 커리어 성장 환경은 없을 것이다.

커리어 방해 요인 탐색 코칭 질문

각 항목의 코칭 질문에 답하면서 자기 커리어의 성장에 부정적인 영향을 미치는 방해 요인을 탐색해 보자.

1. 자기평가의 부재

- 어떻게 자신의 강점과 약점을 파악하고 있나요? 진단을 받아본 경험이 있다면 어떻게 활용하고 있나요?
- 과거의 업적과 경험을 기반으로 자신을 어떻게 평가하고 있나요?
- 다양한 상황에서 자신을 어떻게 표현하고 어떻게 인식하고 있나요?
- 성과를 달성하거나 실패했을 때, 그 경험을 통해 자신에 대해 어떤 교훈을 얻었나요?
- 커리어 개발을 위한 구체적인 목표와 계획은 어떻게 세우고 있나요?

2. 직무에 대한 불만족

- 현재 직무에서 가장 불만족스러운 측면은 무엇인가요?
- 자신이 원하는 업무와 현재 업무 간의 불일치에 대해 어떻게 인식하고 있나요?
- 불만족한 업무에 어떤 변화가 필요하다고 생각하나요?
- 현재의 직무와 미래의 목표 간에 어떤 연계성이 있다고 생각하나요?
- 불만족을 해소하기 위해 어떤 노력을 기울이고 있나요?

3. 전문기술 부족

- 현재 업무에서 필요한 전문 기술과 능력을 어떻게 파악하고 있나요?
- 부족한 전문기술을 보완하기 위해 어떠한 노력을 기울이고 있나요?
- 미래에 필요한 산업 동향과 기술적인 변화에 대한 인식은 어떤가요?
- 전문기술 부족으로 인해 발생하는 도전적인 상황은 어떻게 대처하고 있나요?
- 전문기술을 향상하기 위한 자기계발 계획이 있나요?

4. 진로 명확성의 부재

- 현재 커리어의 명확한 비전이나 목표는 무엇인가요?
- 5년 이내에 달성하고자 하는 커리어 목표는 무엇인가요?
- 현재의 진로 계획이 개인적인 가치나 적성과 어떻게 부합되고 있는지 어떻게 평가하나요?
- 주변의 변화나 새로운 기회에 대해 어떻게 대응하고 있나요?
- 진로에 대한 명확성을 높이기 위해 어떤 도움이나 자원을 활용하고 있나요?

5. 커뮤니케이션 부족

- 효과적인 커뮤니케이션의 중요성에 대해 어떻게 인식하고 있나요?
- 동료나 상급자와의 의사소통에서 어려움을 느끼고 있는 부분은 무엇인가요?
- 커뮤니케이션이 원인이 된 문제가 발생했거나 오해가 생긴 경험이

있나요?

- 다양한 상황에서 효과적으로 의사소통하기 위해 스스로 개선해야 할 점이 있다면 무엇인가요?
- 팀 내에서의 의견 충돌이나 갈등 상황에서 어떻게 대처하고 있나요?

6. 스트레스와 워라밸

- 현재의 업무에서 느끼는 스트레스 요인은 무엇인가요?
- 업무와 개인 생활 간의 균형을 유지하기 위한 노력이 어떻게 진행되고 있나요?
- 스트레스 해소를 위한 자기 관리 방법이나 활동은 무엇인가요?
- 업무에서의 과도한 압박이나 스트레스에 대처하기 위한 전략을 가지고 있나요?
- 일과 삶의 밸런스를 유지하기 위해 조직에 필요한 지원이나 변화를 제안할 수 있나요?

7. 조직 내 문화와의 불일치

- 현재 속한 조직의 문화와 자신의 가치관이 어떻게 부합되고 있나요?
- 조직 내의 가치나 규범에 대해 충돌을 느낀 적이 있나요? 그때 어떻게 대처했었나요?
- 조직 내 문화와의 불일치로 인해 발생한 어려움이나 도전적인 경험이 있나요?
- 자신이 원하는 문화나 규범과 조직의 현실 간에 어떤 차이를 느끼고

있나요?

- 조직 내 문화와의 조화를 이루기 위해 어떤 노력을 기울이고 있나요?

여기에서는 커리어를 방해하는 요인을 제거하기 위해 완벽한 해결책을 찾기보다 자기 상황에 맞는 방안을 탐색하는 데 목적이 있다. 코칭 질문을 통해 도출된 자신의 방해 요인을 항목별로 정리하고, 이 요인을 극복하고 문제를 해결하기 위해 어떤 노력을 할 것인지에 대해 구체적으로 정리한다. 다음 장의 '나의 커리어 방해 요인 전환하기' 워크시트에 바로 작성해 보자.

나의 커리어 방해 요인 해결하기

1. 나의 자기평가 부재

   •

   •

   •

   •

   •

2. 나의 직무에 대한 불만족

   •

   •

   •

   •

   •

3. 나의 전문 기술 부족

-
-
-
-
-

4. 나의 진로 명확성의 부재

-
-
-
-
-

5. 나의 커뮤니케이션 부족

-

-

-

-

-

6. 나의 스트레스와 워라밸

-

-

-

-

-

7. 나의 조직 내 문화와의 불일치

-
-
-
-
-

★ 나의 커리어 방해를 극복하기 위해 어떤 노력을 할 수 있을까요?

-
-
-
-
-

2부 커리어 플랜 세우기

5장. 커리어 비전

CAREER VISION

큰 그림 그리기

"당신의 어린 시절을 떠올려 보세요. 어른들이 미래의 꿈에 대해 질문했을 때의 그 순간들, 그리고 지금, 수년 혹은 수십 년이 흘러 그때의 답을 여전히 고민하고 계시는가요? 현재의 경력에 만족하면서도 어딘가 불완전하다고 느끼는가요, 아니면 경력에 만족하지 못하고 영감이 부족하거나 너무 많은 선택지에 압도되나요?"

이러한 질문 중 하나에라도 '예'라고 대답했다면, 자신에게 필요한 것은 아마도 만족스러운 일과 삶을 위한 명확한 커리어 비전을 설정하는 일일 것이다.

커리어 비전은 개인이 자기 경력을 통해 달성하고자 하는 꿈과 목표들을 포괄하는, 보다 구체적이고 개인적인 선언이다. 이것은 단순한 직업적 성취가 아닌, 당신이 이루고자 하는 주요성과, 도달하고 싶은 직급이나 지위, 그리고 사회나 산업에 남기고 싶은 지속 가능한 영향 등을 포함하는 것이다. 커리어 비전은 현재의 직업적 상황을 넘어서는 것으로, 당신이 열정을 갖고 영감을 받을 수 있는 더 크고 포괄적인 '큰 그림'에 대한 사고가 필요하다.

커리어 비전을 세우는 목적은 자신이 현재 어떤 위치에 있든지, 현재의 상태와 자기 비전 사이에 어떠한 간격이 존재하든지 간에, 이 비전은 자신이 추구하는 미래로 향하는 길을 밝혀주는 중요한 지향점이 되어야 한다. 이를 통해 자신의 커리어 여정을 보다 의미 있고 목적 있는 방향으로 이끌 수 있게 된다. 또한, 장기적인 목표를 달성해가는 동안 스스로 동기를 부여하고 집중할 수 있게 한다. 단계적인 목표를 수립할 때 길을 잃지 않도록 나침반 역할을 할 수 있다.

　자신에게 맞는 커리어 비전을 세울 때 다음 주요 사항을 고려한다. 이 고려 사항은 나의 커리어에 전제적인 수정이 필요하거나 이직할 때도 중요한 의사 결정요인이 되기도 했다. 이 부분에서 자신의 신념과 가치관이 명확하고 기준을 가지고 있다면 보다 더 명확한 커리어 비전을 세우는 데 큰 도움이 될 것이다.

자신의 가치와 목표

　커리어 비전을 수립할 때 '자신의 가치와 목표'를 고려하는 것은 매우 중요하다. 이는 자신의 개인적인 신념, 열정, 그리고 자신이 중요하게 여기는 것들이 무엇인지를 파악하는 과정이다. 예를 들어, 자신이 팀워크, 정직성, 혁신, 지속 가능성 또는 공정성과 같은 특정 가치를 높이 평가한다면, 이러한 가치들은 커리어 결정과 진로 선택에 영향을 미칠 것이다.

　가치는 자신이 어떤 직업을 선택하고, 어떤 회사 문화에 맞는지, 어떤 업무 환경에서 가장 효율적으로 일할 수 있는지를 결정하는 데 기준점이 된다. 예를 들어, 혁신을 중시하는 사람은 지속해서 변화하고 도전적인 환경에서 일하는 것을 선호할 수 있으며, 이런 환경에서 그들은 가장 큰 성취감을 느낄 수 있다. 반면, 팀워크와 협력을 중시하는 사람은 다양한 부서나 팀 간의 협업이 장려되는 조직 문화에서 더욱 효과적으로 기여할 수 있다. 회사나 조직을 선택할 때 그 회사의 조직문화가 자신의 가치와 맞는지를 반드시 살펴보고 확인해야 한다. 입사 후 조기 퇴사자들의 퇴사 사유가 조직문화가 맞지 않는다고 말하는 경우가 30%가 넘었다(머니투데이, 2022). 이 부분을 자세히 들여다보면 자신의 가치와 신념이 조직의 가치와 문화와 불일치되는 경우가 많았다.

목표 설정은 자신의 커리어 비전에서 또 다른 중요한 요소이다. 이는 자신이 달성하고자 하는 구체적이고 측정 가능한 목표들을 정의하는 것을 말한다. 예를 들어, 경영진으로 승진하고 싶다면, 이를 위해 필요한 기술과 경험을 개발하는 것이 목표가 될 수 있다. 또는, 특정 분야에서 전문가가 되고 싶다면, 관련 교육을 이수하고 자격증을 취득하며, 전문 네트워킹 활동에 참여하고, 해당 프로젝트를 성공적으로 수행하는 것 등이 자신의 목표가 될 수 있다.

자신의 가치와 목표를 명확히 하는 것은 자신이 커리어에서 무엇을 추구하고, 어떤 방향으로 나아가야 하는지를 결정하는 데 도움을 준다. 그리고 일과 삶의 균형을 찾고, 직업적 만족감을 높이며, 장기적인 커리어 성공을 위한 기반을 마련하는 데 중요한 역할을 하게 된다. **자신의 가치와 목표에 대한 명확한 이해는 자신에게 맞는 기회를 선택하고, 자신의 커리어를 보다 의미 있고 보람 있는 방향으로 이끌 수 있도록 해준다.**

이 책에서 가장 중요하게 생각하는 부분이 무엇이냐고 묻는다면 나는 망설이지 않고 이 부분 '자신의 가치와 목표'라고 답하겠다.

자신의 열정과 흥미

열정은 특정 활동, 주제, 또는 목표에 대해 깊은 감정과 흥미를 느끼는 것으로 커리어 비전을 세울 때 반드시 고려되어야 한다. 열정은 내적 동기에서 비롯되는데 특정 주제나 활동에 대한 강한 흥미와 즐거움이 개인을 움직이게 만드는 동력이 된다. 이 열정은 어려움에 부딪혔을 때도 계속해서 노력하고자 하는 인내와 투지를 가지고 자신의 목표를 위해 끊임없이 노력하게 한다. 이것은 자아실현을 하려는 커리어 욕구에 반영되어 자기 자신을 향한 긍정적인 감정을 가지고 목표를 달성하려고 노력하게 한다.

나는 사진에 엄청난 열정이 있었다. 핫셀블라드라는 무거운 수동카메라를 들고 촬영해 필름을 인화하면 초점이 안 맞는 것이 많았다. 정말 잘 찍고 싶다는 열망으로 집안에서 티브이를 볼 때 카메라의 뷰파인더로 보기 시작했다. 티브이 속의 빠르게 움직이는 피사체의 초점을 맞추며 연습했다. 오래지 않아 출사를 나가면 날아가는 철새나, 빠르게 스쳐 가는 자전거 선수팀을 찍어도 정확하게 초점이 맞기 시작했다. 심지어는 달리는 차 안에서 급하게 찍어도 초점이 맞기 시작했다. 사진에 대한 열정이 끝없는 연습을 하게 하고 좋은 결과를 만든 것이다. 이 경험은 나에게 중요한 교훈을 남겼다.

흥미를 느낀다는 어떤 주제나 활동에 대해 호기심과 즐거움을 느끼는 정도를 나타낸다. 흥미를 느끼고 있는 주제나 활동은 개인이 더 많은 시간을 할애하고 자연스럽게 해당 분야에서 역량을 개발하게 만든다. 새로운 아이디어나 경험에 대한 호기심은 개인이 지속해서 학습하고 발전하려는 동기부여를 제공한다. 자기 열정과 흥미를 바탕으로 선택한 분야에서는 더욱더 나은 성과와 만족도를 얻게 된다.

커리어 성장에서 경계해야 하는 것이 자기 커리어에 대해 더 이상 관심과 호기심이 없는 것이다. 이것은 변화가 필요하다는 신호로 받아들여야 한다.

자기 발전과 성장

커리어 비전을 구상할 때 '자기 발전과 성장'은 개인의 능력, 지식, 기술의 지속적인 향상과 관련된 목표를 설정하고, 이를 달성하기 위한 전략을 수립하는 과정에 있어 매우 중요한 부분이다. 자기 발전과 성장은 단순히 현재의 직업적 요구를 충족시키는 것을 넘어서, 장기적인 커리어 목표를 지원하고, 새로운 기회를 창출하는 데 중요한 역할을 하기 때문이다.

예를 들어, 커리어 초기 단계에서는 기술적 능력이나 업무 관련 지식을 쌓는 것이 중요할 수 있다. 이는 관련 분야의 전문 교육을 받거나 워크숍 참석하고 자격증 취득을 하거나 혹은 실무 경험을 통해 이루어질 수 있다. 이러한 지식과 기술은 현재의 업무를 효율적으로 할 수 있게 되어 경쟁력을 유지하고, 새로운 직업적 기회를 발굴하는 데 도움을 준다.

또한, 자기 발전과 성장은 리더십, 의사소통, 팀 관리 등의 소프트 스킬 개발에도 중점을 두어야 한다. 예를 들어, 관리직을 목표로 하는 경우, 효과적인 팀 리더십 기술, 갈등 해결 능력, 조직 내 커뮤니케이션 기술 등을 개발하는 것이 중요하다. 이러한 기술은 현재의 직위를 넘어서 관리적 역할이나 리더십 포지션을 맡는 데 필수적인 요소이다.

자기 발전과 성장을 커리어 비전에 포함시키는 것은 자신의 잠재력을 최대한 발휘하고, 커리어 목표를 달성하는 데 필수적인 요소이다. 이는 직업적으로 만족스러운 커리어의 길을 만들어 가며, 변화하는 시장 환경에서 자신의 위치를 강화하는 데 중요한 역할을 하기 때문이다.

사회적 기여

커리어 비전을 수립할 때 '사회적 기여'는 중요한 고려 사항 중 하나로서 개인의 직업적 활동이 어떻게 사회에 긍정적인 영향을 미칠 수 있는지를 고려하는 것을 의미한다. 사회적 기여는 개인의 커리어가 단순히 자기만족이나 금전적 보상을 넘어서, 더 넓은 커뮤니티, 사회, 심지어는 지구적 차원에서 의미 있는 변화를 끌어내는 데 어떻게 기여할 수 있는지를 탐색하는 것이다.

예를 들어, 환경 보호에 관심이 많은 사람은 자신의 커리어를 통해 지속 가능한 개발을 촉진하거나 환경 보존에 기여하는 방향으로 목표를 설정할 수 있다. 자신의 관심을 커리어에 연결하여 환경, 과학, 재생 가능 에너지, 지속 가능한 비즈니스 같은 분야에서 일하거나, 현재 직업 안에서 환경적으로 책임 있는 결정을 내리며 사회에 기여할 수 있다.

또한, 사회적 기여는 교육, 공공 서비스, 비영리 조직 또는 사회적 기업에서 직접 일하는 것을 의미할 수도 있다. 예를 들어, 교육 분야에서 일하는 사람은 다음 세대를 교육하고 영감을 주는 데 중점을 둘 수 있으며, 공공 서비스 분야에서 일하는 사람은 지역 사회의 복지와 발전에 기여하는 데 중점을 둘 수 있다.

사회적 기여는 또한 현재 직업에서 자원봉사 활동이나 사회적 책임 프로젝트에 참여하는 것이 해당한다. 많은 조직이 커뮤니티 서비스 프로그램이나 기업의 사회적 책임(CSR) 활동에 참여하고 있으며, 이는 직원들에게 사회에 긍정적인 변화를 불러오는 기회를 제공한다. 현재 ESG 경영환경에서는 사회적 기여 부분은 더 비중 있게 다루어지고 있다.

사회적 기여를 커리어 비전에 포함하는 것은 개인의 직업적 만족감을 높이고, 보다 의미 있는 커리어를 구축하는 데 중요한 역할을 한다. 따라서, 사회적 기여는 자기 커리어가 개인적인 성장뿐만 아니라 사회적 발전에도 기여할 수 있도록 하는 중요한 요소가 된다. 자기 커리어 비전에 반드시 사회적 기여 부분을 포함해서 그려보자.

커리어 비전 탐색을 위한 코칭 질문

각 항목의 코칭 질문에 답하면서 자신의 커리어 비전을 구체적으로 탐색해 보자.

자신의 가치와 목표

* 자신이 가장 중요하게 생각하는 가치는 무엇이며, 왜 그것이 중요한가요?
* 자신의 장기적인 목표는 무엇이며, 이 목표가 자신의 가치와 어떻게 연결되나요?
* 자신이 현재 추구하는 목표가 자신의 진정한 가치를 반영하고 있다고 느끼나요?
* 가장 이루고 싶은 것과 그것을 이루기 위해 필요한 가치는 무엇이라고 생각하나요?
* 과거에 어떤 상황에서 가치와 목표 간의 갈등을 경험했나요? 그 상황을 어떻게 해결하셨나요?
* 자신의 가치가 시간이 지남에 따라 어떻게 변화했나요? 그 변화가 당신의 목표에 어떤 영향을 미쳤나요?
* 자신의 삶에서 가장 중요한 세 가지 가치는 무엇이며, 이들이 자신의 일상과 어떻게 연결되어 있나요?
* 자신의 목표 달성을 방해하는 가치 충돌이 있나요? 있다면, 이를 어떻게 극복할 수 있을까요?
* 자신의 가치와 목표가 변화하는 상황에 어떻게 대응하나요?

- 앞으로 5년 후, 자신의 가치와 목표가 어떻게 변할 것이라 예상하나요?

자신의 열정과 흥미

- 자신이 가장 열정을 느끼는 활동은 무엇인가요?
- 자신의 열정이 자신의 일이나 커리어와 어떻게 연결되어 있나요?
- 어떤 활동을 할 때 시간 가는 줄 모르고 몰입하나요?
- 자신의 흥미가 커리어에 어떤 영향을 미쳤나요?
- 자신이 열정을 느끼는 것들에 대해 자주 생각하거나 배우고 싶어 하는 이유는 무엇인가요?
- 자신의 열정을 탐색하고 발전시키기 위해 어떤 노력을 하고 있나요?
- 과거에 열정을 느꼈던 활동들이 현재에도 동일한 열정을 불러일으키나요?
- 열정을 추구하는 과정에서 어떤 어려움을 겪었나요?
- 자신의 열정이 커리어 결정에 어떤 도움을 주었나요?
- 자신의 열정이 미래의 커리어 목표와 어떻게 연결될 수 있을까요?

자기 발전과 성장

- 자신에게 개인적인 성장과 발전이란 어떤 의미인가요?
- 자기 발전을 위해 현재 어떤 노력을 하고 있나요?
- 자신이 최근에 극복한 가장 큰 도전은 무엇이었나요?
- 자신이 자기 발전을 위해 설정한 최근 목표는 무엇이며, 그것을 달성

하기 위한 계획은 무엇인가요?

- 자기 발전을 위해 읽은 가장 영향력 있는 책이나 자료는 무엇이었나요?
- 자신이 느끼기에 자신의 강점과 약점은 무엇이며, 이를 어떻게 발전시키고 있나요?
- 최근에 새로 배운 기술이나 지식이 있나요? 그것이 자신의 성장에 어떤 도움이 되었나요?
- 자신이 성장하기 위해 극복해야 할 주요 장애물은 무엇인가요?
- 자신의 성장을 도울 멘토나 롤 모델이 있나요? 그들에게서 어떤 영감을 받았나요?
- 미래에 자신이 달성하고 싶은 개인적인 성장 목표는 무엇인가요?

사회적 기여

- 자신에게 사회적 기여란 어떤 의미인가요?
- 자신이 현재 참여하고 있는 사회적 기여 활동은 무엇인가요?
- 자신의 커리어나 개인적인 삶에서 사회적 기여를 하는 것이 어떤 영향을 미친다고 생각하나요?
- 자신이 가장 관심을 가지고 있는 사회적 문제는 무엇이며, 이에 대해 어떤 행동을 취하고 있나요?
- 사회적 기여를 통해 자신은 어떤 성취감을 느끼나요?
- 자신이 미래에 기여하고 싶은 사회적 목표는 무엇인가요?
- 자신의 사회적 기여 활동이 자신의 개인적이거나 전문적인 성장에 어떤 도움을 주었나요?
- 사회적 기여를 위해 극복해야 할 주요 장애물은 무엇이라고 생각하

나요?

- 자신이 사회적 기여를 통해 달성하고 싶은 장기적인 목표는 무엇인 가요?

- 사회적 기여를 위해 자신이 추구하고 있는 가치와 이상은 무엇인가 요?

커리어 비전 탐색의 답변 내용을 자신의 언어로 정리해 보자.

나의 커리어 비전 탐색 정리하기

자신의 가치와 목표

-
-
-
-
-
-
-
-
-
-

자신의 열정과 흥미

-

-

-

-

-

-

-

-

-

자기 발전과 성장

-

-

-

-

-

-

-

-

-

사회적 기여

-

-

-

-

-

-

-

-

-

-

★ 나의 커리어 비전 탐색을 통해 어떤 것을 새롭게 발견했나요?

★ 새롭게 정리된 커리어 비전을 자신의 삶에 어떻게 적용할 수 있을까요?

커리어 비전 선언문

"커리어 비전을 세울 때 비전을 말로 구체화하는 행위는,
궁극적으로 달성하고자 하는 목표를 향한 커리어 여정의 시작점이다."

커리어 비전 선언문은 단순히 목표를 설정하는 것 이상의 중요한 역할을 한다. 그것은 자신에게 가능성의 새로운 지평을 열어주며, 자신이 지향해야 할 구체적이고 실질적인 경로를 제시한다. 이러한 선언문은 현실에서 무엇을 추구할지, 어떠한 단계를 밟아 나갈지에 대한 명확한 방향을 제공한다. 또한, 이는 자신이 직면한 현재의 도전과 미래의 기회 사이에서 균형을 맞추고, 자신만의 독특한 역량과 잠재력을 최대한 발휘할 수 있는 길을 찾는 데 도움을 준다. 따라서, 비전을 구체적으로 말로 표현하는 것은 단순한 시작에 그치지 않고, 자신의 경력 개발 과정에서 지속해서 영감을 주고 동기를 부여하는 중요한 요소이기 때문이다.

커리어 비전 선언문을 6단계로 세워보자.

1단계: 장기적인 목표와 열망을 반영
2단계: 자신의 강점과 기술(구체적인 능력)을 파악
3단계: 원하는 커리어에 대한 조사와 확인
4단계: 커리어 로드맵 만들기
5단계: 커리어 비전 선언문을 작성
6단계: 커리어 비전 선언문 검토 및 수정, 멘토 등
　　　　타인과 신중하게 검토하기

1단계 장기적인 목표와 열망을 반영하는 것은 커리어 비전 선언문의 핵심이다. 여기서는 자신이 어떤 분야나 역할에서 성취하고 싶은 목표를 명확하게 설정해야 한다. 예를 들어, "5년 안에 자사의 기술적인 역량을 향상시키고, 팀 리더로서 프로젝트를 성공적으로 이끌고, 기술적 혁신을 통해 회사의 성과에 기여하고자 한다"와 같은 명확한 목표를 세울 수 있다.

2단계 자신의 강점과 기술(구체적인 능력)의 파악은 자신의 강점과 구체적인 기술을 정확하게 파악하는 것으로 매우 중요하다. 어떤 분야에서 뛰어난 능력을 가지고 있는지, 어떤 기술을 보유하고 있는지를 명확히 정리해야 한다. 이는 커리어를 계획하고 발전시키는 데 있어서 핵심적인 기반을 제공한다. 이 단계에서 검증된 진단 도구를 통해 파악하는 것도 도움이 된다.

3단계 원하는 커리어 조사와 확인에서 원하는 커리어에 대한 조사를 통해 해당 분야의 요구사항과 동향을 파악해야 한다. 이를 통해 어떤 기술이나 역량이 필요한지, 어떤 경험이 도움이 될지를 알 수 있다. 또한, 자신의 목표와 회사의 가치관이 일치하는지를 확인하는 것이 중요하다.

4단계 커리어 로드맵 만들기는 목표를 달성하기 위한 구체적인 계획을 수립하는 것을 말한다. 필요한 기술과 역량을 향상하기 위한 교육 계획, 프로젝트 참여 계획 등 커리어 단계를 고려하여 로드맵을 만들어야 한다.

5단계 커리어 비전 선언문의 작성은 위의 단계들을 토대로 작성한다. 선언문 문장은 목표, 강점, 기술, 원하는 커리어, 그리고 그것을 달성하기 위한 로드맵을 포함하여 작성한다.

  6단계 경력 비전 선언문 검토 및 수정, 멘토 등 타인과 신중하게 주기적으로 검토하고 수정해야 한다. 또한, 신뢰할 수 있는 멘토나 동료에게 선언문을 공유하고 피드백을 받아보는 것이 도움이 된다. 이를 통해 더 객관적으로 자신의 비전을 평가하고 개선할 수 있다.

커리어 비전 선언문 작성 예시

커리어 비전 선언문을 작성한 마케팅 임원과 요가 강사의 예시를 제시한다.

마케팅 임원

마케팅 임원으로서 나의 커리어 비전은 기술 산업 분야에서 최고 수준의 마케팅 임원이 되는 것입니다. 수익 성장을 주도하고 브랜드 인지도를 높이는 혁신적인 마케팅 전략을 개발하는 데 열정을 가진 재능 있는 전문가팀을 이끌고 있습니다.

이 비전을 달성하기 위해 디지털 마케팅, 데이터 분석 및 전략 계획에 관한 기술을 계속 개발해야 합니다. 또한 성공적인 마케팅 캠페인을 개발하고 실행하는 실무 경험을 쌓을 기회를 모색할 것입니다.

마케팅 임원의 역할에서 나는 팀 내에서 협업, 창의성 및 혁신의 문화를 조성하기 위해 노력할 것입니다. 나는 제 전문 지식을 활용하여 회사의 가치와 목표에 부합하는 마케팅 이니셔티브를 개발할 것입니다.

궁극적으로 나의 커리어 비전은 효과적인 마케팅 전략을 통해 성장과 혁신을 주도하여 기술 산업에 의미 있는 영향을 미치는 것입니다.

나는 이 비전을 달성하고 내 분야에서 존경받는 지도자가 되기 위해 끊임없이 노력할 것을 약속합니다.

요가 강사

요가 강사로서 나의 커리어 비전은 모든 수준의 학생들이 자기 수련을 탐구하고 내면의 평화를 발견할 힘을 느낄 수 있는, 포용적이고 환영하는 커뮤니티를 만드는 것입니다.

이 비전을 달성하기 위해 요가 철학, 해부학 및 순서에 대한 지식을 계속해서 심화시킬 것입니다. 나는 존경받는 요가 지도자들로부터 배울 기회를 찾고 나의 지식을 학생들과 공유할 것입니다.

요가 강사의 역할을 수행하면서 나는 학생들이 요가를 탐구하고 수련할 수 있는 안전하고 도움을 주는 공간을 만들기 위해 노력할 것입니다. 나는 그들이 그들의 몸에 귀를 기울이고, 그들의 한계를 존중하고, 그들의 발전을 축하하도록 격려할 것입니다.

궁극적으로 나의 커리어 비전은 학생들이 원하는 다양한 요구에 부응하는 다양한 수업을 제공합니다. 또한 명상과 프라나야마를 수업에 통합하여 학생들이 호흡과 연결하고 마음을 고요하게 하는 데 도움을 줄 것입니다. 궁극적으로 학생들이 더 깊은 자기 인식, 자기 수용 및 연민을 기르도록 돕는 것입니다.

나는 이 비전을 실현하기 위해 각 학생과 개별적으로 협력하고 그들의 고유한 요구를 충족하는 개인화된 경험을 제공하기 위해 최선을 다하고 있습니다.

워크샵에서 비전 선언문을 함께 작성한 많은 참가자가 비전 선언문을 잘 활용할 수 있는 방법을 묻는다. 커리어 비전 선언문을 작성한 후 더 짧고 강력한 문구로 정리하여 업무 다이어리와 책상에 붙여놓고 항상 상기하는 걸 추천한다. 모바일폰의 첫 화면에 바로 보이게 설정하여 자주 보는 것도 좋은 방법이다. 비전 선언문은 자신이 가고자 하는 커리어를 위한 행동강령이고 강력한 가이드가 되기 때문이다.

커리어 탐색과 커리어 비전에서 도출된 내용을 기반으로 자신의 비전 선언문을 작성해 본다. 항목 괄호 안의 내용을 하단에 구체적으로 적는다. 다음 장의 '나의 커리어 비전 선언문' 워크시트에 바로 작성해 보자.

나의 커리어 비전 선언문 작성하기

(직업명   )로서 나의 커리어 비전은 (비전 명시)할 것입니다.

이 비전을 달성하기 위해 (구체적인 행동 명시   )할 것입니다.

(역할명   )역할을 수행하면서 (역할의 수행활동 명시)할 것입니다.

궁극적인 나의 커리어 비전은 (구체적이고 형상화한 비전 명시)입니다.

이 비전을 현실로 만들기 위해 (비전 달성의 실현과 마음의 각오 **)**
최선을 다할 것을 약속합니다.

년   월   일

서 명

★ 자신의 커리어 비전을 달성하는 데 필요한 변화 중 어떤 것이
   자신에게 가장 큰 도전이 될 것 같나요?

★ 이 커리어 비전을 성공적으로 달성했다고 상상해 보세요.
   자신의 가치관이나 우선순위에 어떤 변화가 있을까요?
   자신의 삶에 어떤 영향을 미칠까요?

6장. 커리어 장기계획

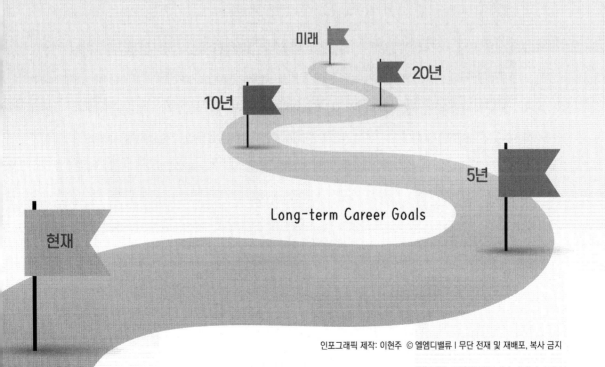

미래

20년

10년

5년

Long-term Career Goals

현재

미래 구체화하기

커리어 장기 계획은 커리어 비전을 실현하기 위한 다양한 단계와 중간 목표를 설정하여, 비전을 달성하기 위한 구체적인 행동 계획을 제시한다. 커리어를 이제 시작한다고 가정하고 5년, 10년, 20년 계획을 세운다면, 자신의 학업, 산업 분야, 취업 여부, 직업 전환 등 다양한 상황에 따라 목표와 구체적인 실행계획이 달라진다. 커리어의 장기 계획은 인생 계획을 세우는 것과 밀접하게 맞닿아 있다. 따라서 자신이 원하는 삶을 기반으로 커리어 장기 계획이 세워져야 한다.

나는 20대 초반에 연령대별로 커리어 장기 계획을 세웠다. 만약 그때로 돌아간다면 그때보다 더 체계적으로 계획을 세웠겠지만, 당시엔 미래에 하고 싶은 일, 되고 싶은 모습을 생각하며 나름 최선의 장기 계획을 세웠다. 당시의 힘들었던 상황을 고려하며 야심 차게 적어놓았던 것을 옮겨본다. 20대는 내가 무엇을 좋아하고 열정이 있는지를 찾아야 한다. 학업에 집중하고, 창업해서 나의 회사를 경영한다. 30대는 유학을 다녀오고, 업계의 전문가가 되어 글로벌 회사에 근무한다. 40대는 전문 역량을 발휘해 창업하고 50명 이상 근무하는 회사 규모로 키운다. 박사학위를 취득한다. 50대는 회사를 운영하며 사회에 기여하는 재단을 설립한다. 그리고 남은 나의 삶은 경제적자유와 정신적 자유 그리고 신체적 자유를 나에게 보장한다라고 쓰고 느낌표를 세 개나 찍어놓았다. 60대는 사진작가와 미술가들이 편히 창작할 수 있는 스튜디오를 세운다. 연령 별로 좀 더 상세한 목표를 적고 실행해야 할 목록을 작성해 놓았다. 예를 들어 유학 항목에는 국가, 학교, 전공, 기간, 비용까지도 그 당시 물가를 반영해서 상당히 구체적으로 작성을 했었다. 그동안 해마다 새로운 업무수첩 첫 장에 옮겨적으며 내가 어디로 가고 있고 어떻게 살고 싶은지 방향을 잃지 않으려고 했다.

나는 이 장기 계획을 어느 정도 이루었나. 지금까지 큰 틀에서는 거의 근접해 이루었고 세부적으로 계획의 조정이 있었다. 힘든 도전과 어려움은 항상 있었지만, 그동안 잘 성장해 온 것에 진심으로 감사한다. 앞으로 살아가는 동안 새로운 변화에 맞추어 세부적인 계획을 조금씩 조정해 가면서 살 것이다.

커리어 장기 계획을 세울 때 기간별 중점적으로 세워야 할 계획과 더불어 자신이 어디에 있고 싶은지, 누구와 함께하고 싶은지, 그 분야에서 어떤 가치를 지닌 사람인지 등 자신의 존재가치에 관한 생각도 함께하길 바란다. 워크샵을 진행할 때는 이 부분에 많은 시간을 할애하고 다양한 활동을 통해 성찰하는 시간이 있다. 이러한 과정을 거치면서 세워지는 장기적인 커리어 계획은 더욱 견고하며 의미가 있다고 본다.

장기적 성공을 위한 연차별 계획

커리어 장기 계획을 5년, 10년, 20년 단위로 구분하여 계획을 세워보자. 자신의 분야에 대한 장기 계획을 수립할 때 자신의 커리어 목표와 이루고자 하는 꿈을 현실적이고 실행 가능한 계획으로 전환하는 데 필수적인 요소를 고려해야 한다. 다음은 장기 계획을 세울 때 고려해야 할 주요 요소들을 설명한다.

5년 계획

- **현재 위치에서 5년 후 목표:** 5년은 짧으면서도 충분한 변화를 이룰 수 있는 기간이다. 여기서는 자신의 현재 위치에서 출발하여, 5년 후에 이루고 싶은 구체적인 커리어 목표를 정립한다. 이는 특정한 직책에 오르는 것, 특별한 프로젝트를 완수하는 것, 특정 기술이나 자격증을 획득하는 것 등 다양한 형태를 취할 수 있다. 목표 설정 과정에서 자기 커리어에 대한 열정은 장기적인 커리어 비전에 충분히 고려하여야 한다. 또한, 커리어 경력은 시작 단계이지만 마음의 열정과 신체적 능력은 뛰어난 시기이다. 장기적 관점에서 재정적인 보상보다 많은 경험을 가질 기회에 집중하는 것이 더 좋다. 이 기간에 달성해야 할 구체적인 단계들을 세분화하여 목표 달성의 청사진을 그려보는 것이 필요하다.

- **핵심 역량 개발:** 이 단계에서는 달성하고자 하는 목표에 필요한 핵심

역량을 식별하고, 이를 개발하기 위한 계획을 세운다. 기술적인 능력, 의사소통 능력, 업계 지식 등 다양한 영역에서 필요한 역량을 고려해야 한다. 예를 들어, 리더십 역량을 강화하기 위한 교육 프로그램에 참여하거나, 새로운 기술 습득을 위한 자격증을 취득하는 것이 될 수 있다. 또한, 이 시기는 자신의 안전 영역을 벗어나 자신의 역량을 체계적으로 발전시킬 방안을 모색한다.

- **네트워크 구축:** 커리어 발전에 있어 네트워크의 중요성은 강조할 필요가 없을 정도로 중요하다. 이 기간에 직장 내외에서 유용한 관계를 구축하고, 이미 존재하는 관계를 강화하는 전략을 세운다. 멘토를 찾거나, 전문가 그룹에 가입하거나, 업계 컨퍼런스에 참석하는 것 등이 네트워크 구축의 하나로 고려될 수 있다. 또한, 자기가 구축한 네트워크를 유지하고 발전시키기 위한 지속적인 노력이 필요하다.

일반적으로 커리어 초기에 신입으로 시작하는 기회는 몇 차례 주어진다. 이 시점에서는 학교 배경, 전공, 그리고 기타 지식이 중요하며, 이들은 기업이 제시하는 채용 기준을 충족해야 한다. 신입 단계를 넘어서면, 경력을 쌓은 후에는 두 번째 직장을 경력직으로써 찾게 된다. 이때 자신의 자질과 역량이 가장 중요하게 평가받는다. 한국의 근로자 평균 근속 연수는 2023년 기준 7.2년이다(고용 형태별 근로실태조사보고서, 2022). 5년 계획에 이직을 반드시 고려해야 한다는 의미일 것이다. 이때는 그동안 자기가 구축한 네트워크가 채용 정보보다 더 중요한 역할을 한다. 인적 네트워크를 활용하여 정보와 기회, 그리고 원하는 직무에 대한 채용 정보를 얻는다면, 커리어 발전을 위한 유리한 위치에 서게 될 수 있다. 따라서 5년 계획에는 반드시 네트워크 구축을 포함시키는 것이 중요하다.

• **도전과 기회:** 이 시기에 마주칠 수 있는 잠재적 도전과 기회를 예측하고, 이에 대비하는 전략을 수립한다. 예상치 못한 경제적 변화, 기술의 발전, 업계 내 경쟁 구도 변화 등 다양한 외부 요인들이 커리어 경로에 영향을 미칠 수 있다. 이러한 변화에 유연하게 대응하기 위해 필요한 기술을 습득하고, 적응력을 높여야 한다.

맨 마지막 장인 '12장. 커리어 위기관리'에서는 이 부분에 대해 자세히 설명한다. 5년 계획에서는 적극적으로 도전하는 것이 중요하며, 이러한 도전을 기회로 전환해야 한다. 모든 도전이 반드시 성공으로 이어지는 것은 아니지만, 실패로 간주해서도 안 된다. 왜냐하면, 도전하는 과정에서 얻는 경험이 바로 개인의 소중한 자산이 되기 때문이다. 나는 강의에서 커리어 초기에 이러한 경험을 가능한 한 많이 쌓는 것의 중요성을 항상 강조하고 있다.

• **균형과 적응:** 커리어 목표를 추구하면서도 개인 생활과의 균형을 유지하는 것은 중요하다. 이는 스트레스 관리, 취미 활동, 가족과의 시간 등을 포함한다. 자신이 원하는 삶의 질을 유지하면서 커리어 목표를 달성하기 위한 전략을 수립하는 것이 필요하다. 이를 통해 장기적으로 건강하고 지속 가능한 커리어 경로를 구축할 수 있다.

커리어 초기의 5년 동안, 열정적으로 시작한 일에 몰두하다 건강을 해치고 번아웃을 경험해 해당 분야를 완전히 떠나는 사례를 종종 목격한다. 이 시기에는 대부분 업무에 집중하며 자신만의 영역을 구축하고자 하는 경향이 있고, 때로는 조직 내에서 피할 수 없는 어려운 업무로 고통을 겪기도 한다. 하지만, 일이 인생의 전부가 되어서는 지속 가능하지 않다. 특히 건강을 잃는다면 그보다 더 큰 손실은 없을 것이다. 일과 삶의 균형을 유지하기 위한 의식적인 노력이 필요하다.

10년 계획

- **장기 비전:** 10년은 커리어에서 중요한 이정표를 설정하기에, 충분한 기간이다. 이 기간의 목표는 5년 계획보다 더 포괄적이고, 장기적인 비전에 초점을 맞춰야 한다. 여기서는 커리어의 전반적인 방향성을 설정하고, 장기적인 성공을 위한 경로를 모색한다. 이 과정에서 자신이 추구하는 가치, 장기적인 직업적 만족도, 커리어가 개인적인 삶에 미치는 영향 등을 고려해야 한다. 또한, 이 비전이 현실적이면서도 도전적인지 확인하는 것도 중요하다.

- **리더십과 영향력:** 장기적으로 자신이 어떤 종류의 리더가 되고자 하는지, 어떤 영향을 미치고자 하는지를 고민하는 단계이다. 이는 단순히 상위 직책을 차지하는 것을 넘어서, 자신이 속한 조직, 업계, 심지어 사회에 어떤 긍정적인 변화를 가져올 수 있는지를 고려한다. 리더십 개발 프로그램 참가, 멘토링 활동, 사회적 책임 프로젝트 참여 등을 통해 리더로서의 역량을 개발하고, 영향력을 확장할 수 있는 기회를 모색해야 하는 시기이다.

- **전문성 확장:** 장기적인 목표를 달성하기 위해서는 지속적인 학습과 전문성 확장이 필요하다. 이 단계에서는 추가적인 교육, 트레이닝, 자격증 취득, 업계 트렌드에 대한 지속적인 학습 등을 통해 전문성을 더욱 강화한다. 또한, 이러한 학습이 단순한 지식 습득을 넘어서 실질적인 업무 성과와 연결될 수 있도록 해야 한다.

- **커리어 변화와 전환:** 10년이라는 기간에는 커리어의 방향을 바꾸거나 전환할 필요가 생길 수 있다. 이를 위해, 시장의 변화, 자신의 열정과 능력, 새로운 기회 등을 고려하여 변화에 유연하게 대응할 수 있는 전략을 수립한다. 이 과정에서 경력 전환을 위한 추가 교육이나 네트워킹, 새로운 역할에 대한 탐색 활동이 포함된다.

- **지속 가능한 성장:** 장기적인 커리어 성장을 위해서는 지속 가능한 개발 전략을 세워야 한다. 이는 스트레스 관리, 일과 삶의 균형, 정기적인 자기 평가 등을 정기적으로 해야 한다. 커리어 발전을 위한 지속적인 목표 설정과 평가, 새로운 도전에 대한 개방성, 업계 동향에 대한 지속적인 관심 등이 매우 중요하다. 커리어를 시작하고 10년쯤일 때 성장을 멈추는 경우가 많다. 이는 결국에는 자기 영역에서 도태되는 것을 의미한다.

20년 계획

- **커리어 유산:** 20년이라는 긴 시간을 바라보며, 커리어의 마지막에 남기고 싶은 유산이나 기여에 대해 생각한다. 이는 당신이 직업적으로

이루고자 하는 궁극적인 목표를 의미하며, 개인적인 성취뿐만 아니라 사회적 기여와 업계에 미치는 영향이 될 수 있다. 이를 통해, 장기적인 커리어 계획이 단순한 직업적 성공을 넘어서 더 큰 의미를 갖게 된다.

- **장기적 전문성:** 장기적으로 관련성을 유지하기 위해서는 지속적인 전문성 개발이 필요하다. 이는 변화하는 시장과 기술 트렌드에 맞추어 계속해서 새로운 지식과 기술을 습득하는 것을 의미한다. 전문성은 조직이나 업계 내에서 리더십을 발휘할 수 있는 중요한 요소로, 이를 통해 커리어의 정점을 찍을 기회가 된다. 자신이 이루어 갈 20년 커리어의 성공을 극대화하기 위해 전문성을 갖추는 계획을 세우는 것은 매우 중요하다.

- **평생학습:** 20년 장기 계획에서는 평생학습의 필요성과 중요성이 크게 부각된다. 이는 단순히 전문 지식과 기술 습득에 국한되지 않으며, 개인적 성장, 인간관계의 개선, 사회적 이해력 증진 등 다방면에서의 지속적인 학습이 필요하다는 의미다. 평생학습을 통한 지속적인 자기 계발은 커리어의 장기적인 지속 가능성을 강화하며, 빠르게 변화하는 직업 환경에 효과적으로 적응할 수 있게 하는 필수적인 요소이기 때문이다. 현시대는 평생학습을 지원하는 다양한 교육기관과 프로그램에 접근할 수 있다. 개인의 관심사가 시간이 지나며 변화할 수 있다는 점을 고려해야 한다. 따라서, 다양한 학습 기회에 자신을 적극 노출하고, 자신이 추구하는 삶의 방향과 일치하는 커리어 성장을 위한 체계적인 학습계획을 마련하는 것이 중요하다. 이를 통해 개인은 자신의 분야에서 지속해서 성장하고 발전할 기회를 확보할 수 있

기 때문이다.

- **커리어와 개인 생활의 조화:** 장기적인 계획에서는 커리어와 개인 생활 간의 조화를 유지하는 것이 더욱 중요하다. 이는 장기적인 건강과 행복을 위해 필수적인 요소이다. 취미, 여가 활동, 가족과의 시간, 건강 관리 등을 통해 일과 삶의 균형을 찾기 위한 계획이 포함되어야 한다. **계획을 세울 때, 현재 가진 자원에만 집중하고 미래에 대해 제한적으로 생각하기보다는, 앞으로 20년 동안 달성할 목표들을 통해 커리어와 개인 생활 사이의 조화로운 균형을 이루어 낼 수 있을 것이라는 긍정적인 전망을 기반으로 하여 계획을 수립한다.**

- **사회적 기여와 영향:** 장기적인 커리어 계획에서는 개인적인 성공을 넘어서 사회적 기여와 영향을 고려하는 것이 중요하다. 이는 자신의 업무와 전문성을 통해 사회에 긍정적인 변화를 가져오고, 더 나은 세상을 만드는 데 기여하는 것을 의미한다. 이러한 사회적 기여는 자기 커리어에 더 큰 의미와 만족감을 부여할 수 있다. 이렇게 비전과 장기 계획을 결합하면 개인은 목표를 향해 일관되게 나아갈 수 있으며, 동기부여와 방향성을 가지고 실행해 갈 수 있다.

커리어 장기 계획 코칭 질문

커리어 5년, 10년, 20년 기간별 장기 계획에 대한 코칭 질문에 답을 한다. 커리어 장기 계획을 더욱 명확하게 설정하고, 단계별로 목표를 달성할 수 있는 전략을 수립하는 데 도움이 된다.

5년 계획

- **현재 위치에서 5년 후 목표:** 5년 후에 당신은 어떤 직위에 있고, 어떤 역량을 갖추고 있기를 원하나요?
- **핵심 역량 개발:** 다음 5년 동안 어떤 기술이나 지식을 개발해야 당신의 커리어 목표에 도달할 수 있을까요?
- **네트워크 구축:** 당신의 커리어 목표를 달성하기 위해 어떤 종류의 전문적 네트워크를 구축해야 할까요?
- **도전과 기회:** 앞으로 5년간 당신의 커리어에서 마주칠 수 있는 주요 도전과 기회는 무엇일까요?
- **균형과 적응:** 커리어 목표를 추구하면서 개인 생활과의 균형을 어떻게 유지할 계획인가요?

10년 계획

- **장기 비전:** 10년 후에 당신은 어떤 커리어 상태에 있기를 원하나요?
- **리더십과 영향력:** 10년 이내에 당신은 어떤 종류의 리더가 되고 싶으며, 어떤 영향을 미치고 싶나요?
- **전문성 확장:** 당신의 전문 분야에서 권위자가 되기 위해 어떤 교육이

나 경험이 필요할까요?

- **커리어 변화와 전환**: 향후 10년 동안 경력의 변화나 전환을 고려하고 있나요? 그렇다면, 어떤 준비가 필요할까요?
- **지속 가능한 성장**: 커리어 성장을 지속 가능하게 유지하기 위해 어떤 습관이나 전략을 개발해야 할까요?

20년 계획

- **커리어 유산**: 커리어를 마감할 때, 어떤 유산을 남기고 싶나요?
- **장기적 전문성**: 20년 후에도 여전히 관련성을 유지하기 위해 어떤 전문성을 계속 발전시켜야 할까요?
- **평생학습**: 커리어를 통한 평생 학습을 위해 자신에게 맞는 접근 방식은 무엇일까요?
- **커리어와 개인 생활의 조화**: 장기적으로 커리어와 개인 생활 사이의 균형을 유지하는 데 있어 자신에게 가장 중요한 요소는 무엇인가요?
- **사회적 기여와 영향**: 당신의 커리어가 사회에 미칠 영향에 대해 어떻게 생각하나요? 이 사회에 어떤 기여를 하고 싶은가요?

3장 '커리어 탐색'과 4장 '커리어 비전'에서 작성한 내용을 재검토하고, 장기 계획에 관한 코칭 질문에 답변하며 보다 구체적으로 정리한다. 다음 장의 '나의 커리어 장기 계획 세우기' 워크시트에 바로 작성해 보자.

나의 커리어 장기계획 세우기

나의 커리어 5년 계획

-
-
-
-
-
-
-
-
-
-

나의 커리어 10년 계획

-

-

-

-

-

-

-

-

-

나의 커리어 20년 계획

-
-
-
-
-
-
-
-
-

★ 내가 설정한 장기 목표는 내가 추구하는 삶과 얼마나 일치하는가?

★ 앞으로 1년, 3년, 5년 후에 나는 이 계획을 어떻게 평가할 것인가?

7장. 목표설정

SMART GOALS

S — SPECIFC — 구체적

M — MEASURABLE — 측정가능

A — ARCHIVABLE — 달성가능

R — REALISTC — 현실적

T — TIMEBOUND — 기한이 정해진

커리어 목표설정은 왜 필요한가

커리어 플랜 세우기에서 커리어 목표를 설정하는 것은 커리어를 성장시키기 위해 자신의 목적을 실현하고자 하는 데 구체적인 목표를 설정하고 이를 달성하기 위한 계획을 세우는 과정이다. 처음으로 커리어 목표를 정할 때, 이것이 인생 목표와 혼동되는 경우가 종종 있다. 커리어의 목표설정도 연습과 경험이 필요하다. 이번 장에서는 커리어 목표 설정에 집중한다.

먼저 커리어 목표설정이 왜 필요한지 중요한 이유 몇 가지를 살펴본다.

- **방향 제시:** 커리어 여정에서 어떤 방향으로 나아갈지에 대해 제시하고 안내자 역할을 할 수 있기 때문이다. 목표가 없다면 무엇을 향해 노력해야 할지 혼란스러울 수 있지만 커리어 목표를 설정하면 어떤 목적을 향해 노력할 것인지 명확해진다. 예를 들어, 마케팅 분야에서 일하는 사람이 장기적으로 마케팅 임원이 되고자 한다면, 이 목표는 그가 어떤 기술을 개발하고, 어떤 경험을 쌓아야 하는지를 명확히 해준다. 이를 바탕으로 그는 관련 교육과 실무 경험을 추구하며, 자신의 커리어 경로를 전략적으로 계획할 수 있다.

- **동기부여:** 목표는 새로운 도전에 대해 동기를 부여한다. 새로운 스킬을 익히거나 더 높은 위치나 역할을 목표로 설정한다면 어렵고 힘든 상황을 헤치고 나아가며 자신을 계속해서 발전시켜야 한다. 이때 무엇을 위해 도전하고 있는지 목표가 명확하다면 동기를 부여하게 된다. 예로, 프로그래머가 대규모 소프트웨어 프로젝트를 주도하는 매

니저가 되는 것을 목표로 한다면, 이는 그에게 필요한 기술을 배우고, 관련 경험을 쌓게 하는 강한 동기를 제공하게 되고 어려운 문제에 직면했을 때 포기하지 않고, 더 열심히 노력하게 만드는 원동력이 될 것이다. 잘 세워진 목표는 실행하는 동안 포기하지 않고 동기부여의 강력한 힘을 가지게 된다.

- **성취감과 자신감**: 목표를 달성해서 얻는 성취감은 자아 존중과 자신감을 높인다. 목표를 성취한 사람은 자신에 대한 긍정적인 이미지를 자연스럽게 형성하고 목표를 설정하여 달성하는 과정이 내재화 되어 있어 다음 목표를 향해 긍정적 경험을 가지고 커리어를 발전시켜 나가게 된다. 영업 분야에서 일하는 사람이 연간 판매 목표를 달성했을 때, 그는 큰 성취감을 느끼고 자신감을 가지게 된다. 이 자신감은 그가 더 큰 판매 목표나 다른 어려운 과제에 도전하는 데 필요한 자신감을 주게 된다.

- **성장과 발전** : 목표를 설정하면 달성을 위해 필요한 기술, 지식, 역량을 개발하게 된다. 이것은 필요한 것에 집중하여 개발할 수 있고, 자기 분야의 전문성을 향상해 경쟁력을 높일 수 있다. 인사 전문가가 인적 자원 관리에서 고급 자격을 취득하는 것을 목표로 한다면, 그는 필요한 교육을 받고 실무 경험을 쌓으며 인사 전문가로 성장하게 된다. 이 실행의 과정은 커리어 발전에 필수적이며 자기 성장과 발전이 어떻게 이루어지는지 경험했기 때문에 다음 목표설정에 경험자원으로 활용할 수 있다.

- **시간 관리**: 목표를 설정하면 시간과 에너지를 효과적으로 관리할 수

있다. 한정된 자원을 명확한 목표를 향해 노력하고 불필요한 방향으로 흩어지고 낭비되는 것을 줄일 수 있다.

- **성공평가:** 목표는 성공을 평가하는 기준점을 제공한다. 목표 달성 여부를 통해 개인의 경력 발전 상태를 객관적으로 평가할 수 있다. 예를 들어, 교사는 학생들의 학업 성취도 향상을 목표로 할 때, 학기말 시험 결과와 학생 피드백을 통해 그 목표의 달성 여부를 평가할 수 있다. 이를 통해 그는 자신의 교수법과 학생 지도 방식의 효과를 객관적으로 평가하고 개선할 수 있다.

- **적응력 향상:** 커리어 목표를 설정하면서, 시장 변화나 개인적 상황 변화에 대응하는 적응력을 키울 수 있다. 목표를 재조정하고 전략을 수정하는 과정에서 유연성과 대처 능력을 향상할 기회를 얻게 된다. IT 분야에서 일하는 전문가가 인공지능 알고리즘에 대한 전문 지식을 쌓는 것을 목표로 한다면, 기술의 변화에 따라 학습 내용과 방법을 조정해야 한다. 이 과정을 통해 끊임없이 빠르게 변화하는 기술 환경에 적응하는 능력을 키울 수 있다.

커리어 목표 설정이 단순히 목표를 세우는 것 이상의 의미를 갖고, 개인의 전반적인 직업적 성공과 만족도에 중요한 역할을 한다는 것을 확인하였다.

SMART 목표 설정

　SMART Goals는 효과적인 목표를 설정하기 위해 가장 많이 활용되는 도구이다. SMART Goals는 자기 계발, 프로젝트 관리, 비즈니스 계획 등 다양한 상황에서 활용할 수 있다. SMART라는 약어는 구체적(Specific), 측정 가능(Measurable), 달성 가능(Achievable), 현실성, 관련성(Relevant), 시간제한(Time-bound)을 의미한다. 이 SMART Goals를 활용하여 목표 설정을 하는 경우 단기적으로 집중하여 성취할 수 있는 목표 설정이 더 효과가 있다.

명확하고 구체적인 행동 목표 - Specific

　목표는 명확하고 구체적이어야 한다. 목표는 '누가, 무엇을, 어디서, 언제, 왜'에 대한 질문에 답할 수 있어야 하며 초점과 방향을 제시해야 한다. 진행 상황을 측정하거나 추적하기 어려운 모호한 목표는 피해야 한다. 예를 들어, "나는 몸매를 가꾸고 싶다"라고 말하는 대신 "앞으로 3개월 안에 5kg을 빼고 싶다"라고 말한다. 또한, "직장생활을 잘하고 싶다"라는 막연한 목표가 아니고 역량, 소통, 협업 등 큰 카테고리에서 하위 세분화하여 구체적인 목표를 설정해야 한다.

정량적으로 측정이 가능한 목표 - Measurable

　목표는 측정할 수 있어야 한다. 진행 상황을 추적하고 언제 달성했는지 알 수 있어야 한다. 예를 들어 목표가 책을 더 많이 읽는 것이라면 "한 달에 한 권의 책을 읽겠습니다"와 같이 측정할 수 있는 목표를 설정한다. 자격증 취득을 위한 학습이라면 매일 교재 한 챕터를 학습한다거나 학습 시간을 2시간으로 정한다. 정량화가 되어야 달성 성과를 측정할 수 있다.

현실적으로 달성이 가능한 목표 - Achievable

목표는 현실에 맞는 달성이 가능해야 한다. 실행 중에 의욕이 꺾일 수 있으니, 무리가 되는 목표를 설정하지 않는다. 예를 들어, 이전에 한 번도 달리기한 적이 없다면 한 달 안에 마라톤을 완주하겠다는 목표를 설정하는 것이 불가능할 수 있다. 더 현실적인 목표는 3개월 동안 훈련하여 10km 마라톤 대회에 출전하는 것이 될 수 있다. 자신의 자원과 제약 조건을 고려하여 달성이 가능한 목표를 설정한다.

자신과 직접 연관된 목표 - Relevant

목표는 자신이 성취하고 싶은 커리어와 직접적인 연관이 있어야 한다. 예를 들어, 새로운 언어를 배우는 데 관심이 없다면 스페인어를 유창하게 하기 위한 목표를 설정하는 것은 자신과 관련성이 떨어지고 현실과 동떨어진 결정일 수 있다. 대중적으로 인기 있고 일시적인 트렌드에 휩쓸려서 자신과 무관한 목표를 설정하는 것은 지양하고 자신에게 필요하고 커리어 성장에 도움이 되는 것을 설정한다.

정해진 기한 내에 목표 달성 - Time-bound

목표 달성은 시간제한이 있어야 한다. 기간을 정해 놓으면 그 목표에 집중하고 동기를 부여하는 데 큰 도움이 된다. 예를 들어 "기타를 배우고 싶어요"라고 말하는 대신 "올해 말까지 기타로 5곡을 배우고 싶어요"라고 말한다. 마감 시간이 정해져 시간의 압박이 있을 때는 우선순위를 정해 실행한다.

커리어 목표설정을 위한 코칭 질문

SMART Goals 각 항목의 코칭 질문에 답하면서 자신의 커리어 목표를 정리해 보자. 경력자가 커리어 목표를 설정하는 경우와 이직을 고려해서 목표 설정을 조정해야 하는 경우는 고려해야 하는 사항이 달라질 수 있다. 두 가지 상황으로 구분하여 코칭 질문을 제시한다.

경력자가 커리어 목표를 설정하는 경우

명확하고 구체적인 행동 목표 - Specific

* 목표가 구체적으로 어떻게 정의되었나요?
* 목표를 달성하기 위해, 필요한 구체적인 단계나 행동은 무엇인가요?
* 이 목표가 달성이 되면 어떤 변화가 일어날까요?

정량적으로 측정이 가능한 목표 - Measurable

* 이 목표의 성공을 어떻게 정량적으로 측정할 수 있을까요? 어떤 지표나 측정 도구를 사용해 보고 싶으신가요?
* 목표를 달성하는 동안 발생하는 데이터나 정보를 어떻게 추적할 것인가요?
* 목표가 달성된 것을 어떻게 확인할 수 있을까요?

현실적으로 달성이 가능한 목표 - Achievable

* 현재의 능력과 자원을 고려할 때, 이 목표를 달성하는 것이 현실적인가요?
* 목표를 달성하기 위해 추가로 필요한 스킬이나 지식이 있는지 살펴보았나요?
* 현재 일정이나 다른 할 일들에 방해받지 않고 목표를 달성할 수 있나요?

자신과 직접 연관된 목표 - Relevant

* 이 목표가 나의 장기적인 비전과 어떻게 관련이 있나요?
* 이 목표가 나의 역량과 관련이 있나요? 어떻게 나의 강점을 활용할 수 있을까요?
* 목표의 달성이 내 주요성과 지표나 평가 기준과 어떻게 연결돼 있나요?

정해진 기한 내에 목표 달성 - Time-bound

* 목표를 달성하는 데 필요한 정확한 기한은 무엇인가요?
* 목표를 달성하기 위한 각 단계에 대한 소요 시간은 어떻게 되나요?
* 기한이 정해진 목표를 달성하는 동안 예상되는 어려움이나 도전은 무엇인가요?

경력자가 이직을 고려해서 목표를 조정하는 경우

명확하고 구체적인 행동 목표 - Specific

- 이직을 위한 각 단계가 명확하게 정의되어 있고, 이직 일정이 구체적으로 계획되었나요?
- 이직을 고려 중인 회사의 직무나 업무 환경에 대해 명확한 기준이나 조건을 확인하고 이에 대한 준비는 어떻게 할 계획인가요?
- 이직을 성공적으로 이루는 데 필요한 특정 기술 또는 자격증 획득이 필요하다면 이에 대한 준비는 어떻게 할 계획인가요?

정량적으로 측정이 가능한 목표 - Measurable

- 이직을 위한 목표를 정량적으로 어떻게 측정할 수 있나요?
- 매주 몇 시간을 새로운 기술을 익히고 역량을 향상하기 위해 투자할 수 있나요?
- 이직 활동의 결과를 어떻게 추적하고, 성과를 정량적으로 분석할 계획인가요?

현실적으로 달성이 가능한 목표 - Achievable

- 현실적으로 이룰 수 있는 범위 내에서 어떤 직무나 기업을 대상으로 이직 목표를 세우고 있나요?
- 현재 보유한 기술과 역량을 고려하면, 어떤 분야로 이직을 전환하는 것이 현실적으로 가능한가요?
- 목표를 달성하는 동안 발생할 수 있는 도전이나 어려움을 고려하여

어떤 대비책을 세웠나요?

자신과 직접 연관된 목표 - Relevant

* 현재의 커리어와 전문성을 고려하여, 새로운 직무나 업계로의 이직이 어떻게 현재의 경험과 연관되어 있나요?
* 새로운 직장에서 원하는 역량 개발이나 성장과 관련하여 어떤 목표를 가지고 있나요?
* 이직 목표가 현재의 커리어 비전이나 장기적인 커리어 계획과 어떻게 연결되어 있나요?

정해진 기한 내에 목표 달성 - Time-bound

* 새로운 직무로 이직을 위해 목표로 하는 기간은 어떻게 설정하고 있나요?
* 목표 달성과 현재 업무 일정 간의 조화를 어떻게 계획하고 있나요?
* 목표를 달성하는 동안 시간 관리를 효과적으로 하기 위한 전략이 있나요?

커리어 목표설정은 실행하며 상황 변화에 따라 목표를 조정하는 것이 필요하다. 목표는 한번 설정하면 불변하는 것이 아니다. 변화하는 자신의 열망이 무엇인지 알아차리고 커리어 외부 환경의 변화도 기민하게 살피면서 주기적으로 목표를 재평가하고 개선해 가야 한다.

다음 장의 '나의 커리어 목표 설정 세우기' 워크시트에 바로 작성해 보자.

나의 커리어 목표설정 세우기

명확하고 구체적인 행동 목표 - Specific

정량적으로 측정이 가능한 목표 - Measurable

현실적으로 달성이 가능한 목표 - Achievable

자신과 직접 연관된 목표 - Relevant

정해진 기한 내에 목표 달성 - Time-bound

★ 나의 커리어 목표설정
SMART를 활용하여 작성한 내용을 한 문장으로 정리한다.

8장. 실행계획

Action Plan

실행계획을 잘 세우려면

실행계획은 목표를 달성하는 방법을 단계별로 세우는 것이다. 중장기 목표를 위한 실행계획과 한가지 단기 목표를 달성하기 위한 실행계획을 구분하여야 한다. 대학생의 실행계획과 경력자의 실행계획이 다를 것이다. 자기 상황에 맞는 실행계획을 세우는 것이 중요하다.

먼저 자기평가 과정을 통해 강점을 진단하고 자신의 가치와 관심을 확인하고, 장기 및 단기 목표를 정의하고 달성을 통해 무엇을 얻고자 하는지가 명확히 정의되어야 한다.

커리어 실행계획 시 일반적으로 고려해야 할 점을 살펴본다.

- **목표의 특성에 적합한 실행 방향을 세운다.**
  3개월 내 이직이 목표라면, 이 단계에서 동종업계 조사와 더불어 해당 분야의 전문적인 인적 네트워크를 통해 알아볼 수 있다. 이때 이직을 위해 추가적인 교육이나 자격증 취득이 필요한지도 실제 확인해야 한다.

- **실행계획과 리스크 관리계획은 동시에 세운다.**
  SWOT 분석을 통해 강점, 약점, 기회, 위협을 평가하고, 목표 달성을 방해하는 요소를 분석한 후 실행계획을 세울 때 리스크 관리계획을 동시에 세운다. 경험에 의하면 이 두 가지 계획이 구체적이고 명확히 작성이 되어있으면 문제가 발생했을 때 당황하지 않고 선제적으로 해결할 가능성이 높고, 중간에 목표를 조정할 것인지 현행을 유지할 것인지를 판단하는 데도 도움을 줄 수 있다.

- **자신에게 익숙하고 편한 관리 도구를 선택한다.**

세부 실행계획을 어떻게 관리할지 어려워하는 경우를 많이 보게 된
다. 실행계획을 실제 작성할 때 엑셀, 갠트 차트, 실행관리 프로그램
등 비즈니스 도구들을 사용하면 유용하다. 이런 도구들이 어렵다면
실행 기본 구성 항목을 이해한 후 노트에 표를 만들어 가며 자신의
상황에 맞는 항목을 넣고 수정해 가는 것을 권한다. 충분히 연습이
되면 그때는 좀 더 **자기 목표와 실행계획 규모에 맞는 관리 도구를
사용하여 실행을 관리**한다.

- **정기적인 평가와 조정을 한다.**

실행계획은 정해진 후에도 지속적인 검토와 조정이 필요하다. 커리어
목표 달성을 위해 설정한 계획은 시간이 지나면서 변화하는 상황, 기
회, 장애물에 맞게 조정되어야 한다. 이는 목표에 대한 진행 상황을
정기적으로 평가하고, 필요에 따라 계획을 수정하는 과정이다. 예를
들어, 월별 또는 분기별로 계획의 진행 상황을 검토하고, 시장 변화
나 개인적인 상황 변화에 따라 목표나 전략을 조정할 수 있다.

- **커리어 발전과 삶의 균형을 점검한다.**

커리어 목표 달성을 위한 실행계획은 단순히 직업적 성공에만 초점
을 맞추어서는 안 된다. 예를 들어, 커리어 목표를 위한 학습과 업무
외에도 취미 활동, 운동, 가족 및 친구와의 시간 등 개인적인 삶의
질을 높이는 활동이 실행계획에 포함되어야 한다. 이러한 균형은 장
기적으로 커리어 목표를 향한 지속 가능한 동기부여와 성공을 지원
한다.

세부 실행계획 구성 요소

세부 실행계획은 자신의 목표를 고려하여 항목을 추가하거나 삭제하여 구성한다. 다음 요소들은 일반적으로 실행계획을 구성하는 기본적인 것이다. 개념을 이해하고 실제 자기 실행과 연결해 본다.

1. **목표 세분화:** 프로젝트 매니저(PM)가 되는 것이 목표라면 이와 관련한 경험 축적, 프로젝트 매니저 인증 자격증 취득, 리더십 훈련, 프로젝트의 전문기술 개발 등 목표를 더 작게 세분화한다. 이때 목표에 대해 자신이 진정으로 원하는 것을 재확인하면서 설정이 되어야 지속적인 실행이 가능하다.

2. **작업 우선순위 지정:** 실행 항목들은 중요성과 연관성이 높은 순서로 우선순위를 정한다. 작업 우선순위는 시작일과 완료일이 명시되어야 한다. 우선순위를 정할 때 망설여진다면 '디자인 씽킹 코칭 – 아이젠하워 매트릭스'를 활용해 중요도와 긴급도를 적용하여 정할 수 있다.

   * <u>아이젠하워 매트릭스 설명 보기</u> (블로그 lmd_values)

3. **이정표 수립:** 목표 달성을 위한 주요 단계나 목표에 이정표 또는 체크 포인트를 정해 진행 사항을 관찰할 수 있어야 한다. 자기의 전문 분야나 목표에 따라 이정표는 달라진다. 예를 들어 조직 내에서 현재 직무에서 승진이 목표라면 업무성과 달성, 리더십 역량 강화, 인적 네트워크 활동이 이정표가 될 수 있고, 창업이 목표라면 비즈니스 아

이디어 검증, 자금 조달, 인적 조직구성, 마케팅 전략 수립이 이정표가 될 수 있다.

4. **타임라인 정하기:** 각 작업 단계는 현실적인 마감일이 할당되어야 한다. 예를 들어 자격증 취득이라면 공부 시작 시기, 시험응시 날짜, 추가로 필요한 사항에 대한 시간을 지정한다.

5. **자원 할당:** 세부 실행계획을 위한 자원 할당은 목표를 달성하기 위해 사용할 수 있는 시간, 에너지, 비용, 지식 등의 자원을 최적으로 관리할 수 있다. 예를 들어 글로벌 업무 역량을 향상하고자 한다면 언어 학습, 글로벌 비즈니스세미나, 담당업무 관련 전문 워크샵 참여 같은 세부 실행이 필요하고 각 항목에 자원을 할당한다.

6. **진행 상황 모니터링:** 진행 상황을 모니터링하면 계획을 지속해서 개선하고 최적화할 수 있도록 도와주며, 목표 달성을 효과적으로 끌어낼 수 있다. 예를 들어 체크리스트를 만들어 점검하거나 목표 달성률이나 성과지표는 시각적으로 표현한 대시보드나 모바일 앱에서 제공하는 도구를 활용할 수 있다. 다양한 도구들을 테스트해 보고 모니터링 방법을 찾으면 동기도 부여되고 실행의 자신감이 생긴다.

7. **멘토, 전문가 상담:** 실행하는 동안 멘토나 전문가 상담을 통해 피드백을 받고 향후 계획을 논의한다. 또 주변 동료나 지지하는 사람들에게 피드백과 응원을 부탁하는 것도 좋다. 실행하는 동안 지원과 격려를 받는 경우 좋은 성취 결과를 보여주는 경우가 많기 때문이다.

커리어 실행계획을 위한 코칭 질문

실행계획 요소별 코칭 질문에 답하면서 실행계획을 정리해 보자.

1. 목표 세분화

* 어떤 분야나 역할에서 성공을 이루고 싶은지에 대한 장기 목표를 어떻게 정의하고 싶은가요?
* 목표를 달성하는 데 필요한 중기 목표는 무엇인가요?
* 현재의 역량과 경험을 고려하여 어떤 부분을 강화하고 어떤 경험을 쌓아나가야 할까요?
* 어떤 기술 또는 역량에 집중해서 개발하고 싶은가요?
* 목표를 달성했을 때 어떤 결과나 성과를 보게 될 것인지, 그것을 측정하기 위한 구체적인 지표는 무엇인가요?

2. 작업 우선순위 지정

* 현재 진행 중인 프로젝트 또는 업무 중 어떤 것이 가장 중요하다고 생각하나요?
* 자신의 강점과 역량을 고려하여 시간과 에너지를 어디에 집중하면 가장 효율적으로 업무를 수행할 수 있을 것 같은가요?
* 긴급한 작업일지라도 중요하지 않은 경우가 있을 수 있다. 어떤 작업이 긴급한데 중요하지 않다고 느껴지나요?

- 중요한 일인지 알면서도 미루고 있는 경향이 있나요?
- 장기적인 비전과 목표를 고려하면, 어떤 작업이 장기적인 목표 달성에 가장 기여할 수 있는지 알 수 있나요?

3. 이정표 수립

- 현재 진행 중인 커리어에서 가장 중요하다고 생각되는 이정표가 무엇인가요?
- 이전의 성과와 경험을 통해 얻은 것을 토대로 설정한다면 어떤 이정표가 될까요?
- 현재의 커리어에 도전적이면서도 달성이 가능한 목표를 정의하고, 그 목표를 달성함으로써 성장을 이루고 싶은 이정표는 무엇일까요?
- 미래의 커리어 비전을 실현하기 위해 현재 어떤 노력과 준비가 필요한가요?
- 큰 이정표를 달성하기 위해 중간에 설정할 수 있는 작은 목표나 단계들은 무엇인가요?

4. 타임라인 정하기

- 목표 달성을 위한 주요 단계들에 대한 시간적인 투자 계획은 어떻게 생각하고 있나요?
- 달성하고자 하는 목표들을 기준으로 단기 및 장기적인 타임라

인을 어떻게 설정할 것인가요?

- 현재의 역량과 시간 관리 스킬을 고려하여 목표를 달성하기 위한 현실적인 타임라인은 어떻게 될 것 같나요?

- 타임라인 내에서 예상되는 도전이나 어려움에 대비하기 위한 전략은 무엇인가요?

- 목표를 달성하는 과정에서 타임라인을 조정해야 할 필요성을 어떻게 인식하고, 조정할 계획을 어떻게 세우고 있나요?

5. 자원 할당

- 현재의 역량과 자원을 고려하여 목표를 달성하는 데 필요한 자원은 무엇인가요?

- 자기 계발 활동에 자원을 어떻게 투자할 계획인가요?

- 협력이나 팀원들과의 협업이 목표 달성에 중요한 역할을 하는 경우, 이를 위한 자원 할당 계획은 어떻게 되나요?

- 우선순위가 높은 작업에 자원을 어떻게 효율적으로 할당할 수 있을까요?

- 자원 할당 계획을 효과적으로 추적하고 조정하기 위한 방법은 무엇인가요?

6. 진행 상황 모니터링

- 목표 달성을 위한 계획을 모니터링하고 현재 진행 상황을 어떻게 추적하고 있나요?

- 목표에 도달하기 위한 중간 단계들의 진행 상황을 어떻게 확인하고 있나요?
- 만약 예상과 다르게 진행되고 있다면, 그 원인을 어떻게 파악하고 대응하고 있나요?
- 진행 상황에서의 성과와 어려움에 대한 피드백을 어떻게 수집하고 활용하고 있나요?
- 목표 달성에 필요한 조치나 수정 사항이 있다면, 이를 어떻게 계획하고 실행하고 있나요?

7. 멘토, 전문가 상담

- 커리어 실행계획에 대해 현재 멘토나 전문가에게 어떤 피드백이나 조언을 받고 있나요?
- 커리어 목표 달성을 위해 필요한 역량이나 지식을 향상 시키기 위해 어떤 분야에서 멘토링이나 상담을 받아야 할 것 같아요?
- 멘토나 전문가와의 상담에서 어떤 도전이나 어려움을 공유하고 도움을 받고 있나요?
- 멘토링이나 상담을 통해 얻은 지식이나 피드백을 실행계획에 어떻게 활용하고 있나요?
- 주변에 자신을 지지하고 응원하는 사람들 또는 어떤 네트워크, 커뮤니티, 온라인 플랫폼이 도움이 될까요? 그들에게서 피드백을 받을 수 있다면 어떤가요?

이제 실행계획 세우기 위한 코칭 질문에 답하며 얻은 결과를 정리한다. 다음 장의 '나의 실행계획 세우기' 워크시트에 바로 작성해 보자.

나의 실행계획 세우기

목표:
달성 기간:

3. 이정표 수립

-
-
-
-
-

2. 작업 우선순위 지정

-
-
-
-
-

3. 이정표 수립

-

-

-

-

-

4. 타임라인 정하기

-

-

-

-

-

5. 자원 할당

-

-

-

-

-

6. 진행 상황 모니터링

-

-

-

-

-

7. 멘토, 전문가 상담

-

-

-

-

-

★ 실행 항목 중 어떤 것을 우선으로 실천하겠어요?

9장. 커리어 위기관리

Turning Crisis Into Opportunity

커리어 위기는 언제 오는가

커리어 위기는 개인의 직업이나 생활에서 중대한 변화나 어려움이 발생하여 기존의 커리어 경로나 직업적 안정성이 위협받는 상황을 의미한다. 이는 다양한 형태로 나타날 수 있으며, 그 정의는 개인의 상황에 따라 다를 수 있다. 커리어 위기는 앞서 4장에서 다룬 '커리어 방해 요인'보다 장기적 관점에서 더 큰 비전을 가지고 이해해야 한다. 커리어 위기관리는 인생의 성공 여부에 큰 영향을 미치는 만큼 반드시 준비하고 대책을 세우며 관리해야 하는 중요한 것이다.

커리어 위기는 사회의 급격한 기술 변화 때문에 자신이 가진 기술이 어느 순간 쓸모없게 되는 일도 발생한다. 내가 IT분야에서 커리어를 쌓는 동안 OS, 소프트웨어, 개발 프로그램, 인터페이스 그리고 디자인 트렌드 등의 변화에 따라 새로운 기술을 익히고 교육을 받아온 것은 커리어를 유지하기 위한 필수 조건이었다. 당면한 프로젝트를 수행하는데 매몰되어 버리면 업계의 변화와 흐름을 놓치게 된다. 이 변화에 맞추어 다음 기술과 내 역량을 비교해 보고 부족한 부분은 학습하거나 정규 교육 코스에 다시 들어가 채워왔다.

또한, 커리어 위기는 인간관계에서 비롯되는 다양한 감정적 반응도 될수 있다. 자신의 분야에서 가까웠던 동료들이 다른 분야로 이직하거나 경력 전환을 하는 것을 바라볼 때 개인적인 불안감이 더 커질 수 있다. 이렇듯 커리어가 인생에 영향을 미치는 다양한 상황들을 좀 더 포괄적인 관점에서 바라보며 커리어 위기를 확인해 보자.

커리어 위기관리

커리어 위기관리는 커리어의 개발과 성장을 방해하는 요소나 이전에 세운 커리어 플랜을 실행하는 동안 발생하는 어려움을 극복하여 커리어를 유지 또는 회복하기 위한 전략과 접근법을 의미한다.

일반적으로 커리어의 현재 상태와 문제의 원인을 분석하고 상황을 평가하는 것을 우선으로 한다. 그리고 커리어 목표를 확인 후 상황에 맞게 원하는 목표를 재설정한다. 다음으로 문제 해결을 위한 계획을 수립하고 필요한 자원과 도구를 식별해 낸다. 이제 수립된 계획을 실행하고 필요한 행동을 취하게 된다. 다음 단계는 그 실행의 진행 상황을 평가하고 필요한 수정을 해가며 계획을 조정한다.

이 위기관리 단계를 기반으로 자신의 상황에 맞게 응용해 가며 위기를 관리할 수 있다. 이 위기관리 단계는 이 책의 커리어 플랜 세우기 순서와 유사한 부분이 있다. 문제를 해결하는 방법론의 하나이기 때문이다. 위기관리의 단계가 복잡하거나 어려운 것은 아니다. 각 단계는 1부의 커리어 탐색과 2부의 커리어 플랜 세우기에서 학습하고 자신이 작성한 내용을 자원으로 활용한다.

"위기관리 역량은 실제 자신에게 발생하는 커리어 위기를
인식하고 해결해 가는 과정을 통해 향상된다."

즉, 커리어 플랜 세우기의 전체 과정을 여러 번 순환하는 과정에서 위기를 잘 관리하면서 커리어의 성장이 이루어진다는 것을 기억하자.

커리어 위기의 특징

커리어 위기를 관리하고 극복하는 과정은 개인의 탄력성, 적응 능력, 그리고 지원 시스템의 활용에 크게 의존한다. 위기를 기회로 전환하는 것은 자신의 커리어 개발의 중요한 부분이 될 수 있다. 앞서 SMART 전략에서 학습한 것처럼 위기는 기회로 바뀔 수 있다. 이 기회를 두려워하지 말고 피하기보다는 더 큰 성장을 위해 넘어야 할 필수 단계라고 생각하는 것이 좋다.

나에게도 커리어 위기는 여러 번 다가왔고 그 충격의 크기와 상황도 다양했다. 위기를 잘 넘기고 성공적인 커리어 전환의 기회가 된 적도 있고, 극복하기 위해 노력했지만 끝내 포기하고 단념한 적도 있다. 그 과정은 때로 고통스러우며 안타까운 마음으로 오랫동안 괴로운 적도 있었다. 그러나 그 과정 동안의 일이 모두 헛된 것은 아니다. 위기가 닥쳐왔을 때 나의 모든 역량을 집중해 이겨내는 과정에서 훌쩍 커버린 자신을 발견하게 된다.

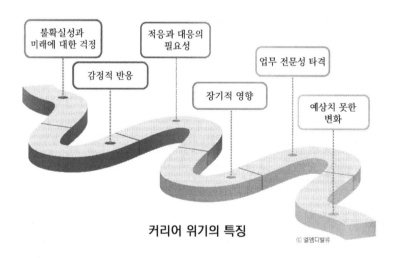

커리어 위기의 특징

ⓒ 엘엔디밸류

커리어 위기의 주요 특징을 살펴보고, 자기 위기는 어떤 것인지, 어디에 연관이 있는지 식별한다. 이 외에도 발생하는 자신만의 위기를 탐색해 보자.

1. 예상치 못한 변화

커리어 위기는 종종 갑작스럽고 예측할 수 없는 사건들로 인해 발생한다. 이는 해고, 회사 폐쇄, 업계의 변동, 근무지 이동, 조직의 일방적인 부서 이동 등 외부 환경적인 변화로 인해 발생한다. 또한, 개인의 건강 문제, 가족을 보살피기 위한 커리어 플랜 이탈 등 개인의 내적 환경 변화로서 다양한 형태로 나타나기도 한다.

항상 준비를 철저히 한다고 해도 예상치 못한 변화는 늘 맞이한다. 나는 공연 마케팅팀장으로 1년 동안 근무한 적이 있다. 새로운 산업에서 나의 커리어를 발전시키고자 다른 회사의 채용 제의를 거절하고 훨씬 낮은 급여에도 불구하고 공연 산업에서 근무를 시작했다. 그런데 1년이 채 되지 않은 시점에 수익이 있음에도 불구하고 회사의 문을 닫는 상황이 벌어졌다. 실무자로서 경영의 의사결정이 어떻게 이루어지는지를 알 수 없던 때여서 회사를 떠나게 됐을 때의 실망감과 나의 선택에 대한 후회가 밀려왔다. 심지어는 마지막 급여도 받지 못하는 상황이 되었을 때는 분노라는 감정에 휩싸이기도 했다.

그 이후 공연계에서 직접 실무자로서 근무하는 일은 없었지만, 다양한 회사와 일하다 보면 공연 예술계에서 일했던 경험이 도움이 되는 고객사를 만나기도 한다. 경험은 실패나 성공으로 나누는 것보다, 경험에서 얻은 피드백을 어떻게 활용할 것인가에 집중해야 한다. 예상치 못한 변화가 다가와도 나의 커리어 시간을 멈추지 말고 다시 돌게 하는 것이 중요하다.

2. 업무 전문성 타격

개인의 직업적 능력이나 기술이 현재의 업무 환경이나 시장 요구와 맞지 않을 때 발생하는 커리어 위기이다. 예를 들면, 새로운 기술이 등장하여 기존의 기술이 구식이 되거나, 업무 프로세스의 변화로 인해 기존의 전문 지식이 덜 중요해질 수 있다. 자신의 업무 전문성이 타격을 받으면, 개인은 자신의 능력에 대해 의심하게 되고, 이는 업무에 대한 만족도에 부정적인 영향을 미치게 되며 자존감에 심각한 충격을 주고 깊은 실망감이나 불안감을 유발할 수 있다. 즉 자기 커리어 전문성에 타격을 받는 것을 인생 자체의 위기로 받아들이게 될 수 있다. 외부 환경에서 시작된 타격이 정신적인 부분에까지 영향을 크게 미치게 된다.

IT 기반으로 장기간 경력을 쌓는 동안 급격히 변화하는 기술 트렌드는 주변의 동료를 계속 바뀌게 했다. 신기술에 대한 학습과 기술 습득이 되지 않으면 근무조차 불가능한 업무 환경에 부담감을 느낀 사람들은 다른 업종으로 전환하는 경우를 많이 보아왔다. 다행히 새로운 것에 호기심이 많고 신기술에 학습을 수월히 해내어 전문가로서 역량을 키울 수 있었다. 그러나 최근에 언리얼 엔진이나 유니티 엔진을 활용한 개발을 해야 할 때는 솔직히 버겁다는 생각이 들어 실무자에게 위임하게 된다. 이전에는 커리어 위기로 받아들이며 절대 놓지 않던 부분을 지금은 상황에 맞추어 방법을 찾는 것이다. 커리어를 시작하고 기간이 초기나 중기단계 정도라면 이 위기는 더 민감하게 받아들이고 이를 극복하기 위한 적극적인 모색이 필요하다.

3. 장기적인 영향

어떤 문제든 기간이 장기화하면 또 다른 문제와 결합하여 확대되고 회복이 어려워진다. 커리어 위기에서의 '장기적인 영향'은 일시적인 발생이 아니라 장기적으로 개인의 직업 경로와 전반적인 직업 만족도에 중대한 영향을 미치는 것을 말한다. 이는 장기적인 경력 계획, 재정 안정성, 심지어 개인의 삶의 질에까지 영향을 미칠 수 있는 다양한 것들이다. 구체적으로 기술의 변화, 업계의 변동 또는 개인적인 문제로 인해 커리어 성장이 느려지거나 멈추게 되는 것이다.

나의 커리어 특성상 늘 변화하는 업무 환경 속에 있어 이런 위기는 늘 존재한다는 위기감을 가지고 준비해도 가끔 전혀 뜻하지 않은 새로운 상황이 발생하기도 한다. 문제가 발생했으면 장기화가 되지 않도록 적정한 시간 안에 모든 조처를 해 종결하려고 한다. 이런 문제가 발생할 때 원인 해결에 맞는 학습이나 교육과정 계획을 세우거나, 인적 네트워크를 활용하여 근본적인 원인이 무엇인지 찾으며 상황을 파악하기도 한다. 그리고 멘토 선배님과 대화도 하면서 상황을 타개하고자 노력한다. 이 장기적으로 영향을 미치는 위기 요소는 오히려 자기 커리어의 기회가 될 수 있도록 새로운 관점으로 문제를 보고 커리어의 장기적인 목표를 다시 정립해야 한다.

그리고 이 책의 앞부분에서 다룬 '3장. 커리어 탐색'의 질문에 답하여 재점검한다. 이 위기는 스스로 해결하며 갈 수 있는 길이 반드시 있다. 단지 빠른 길과 돌아가는 길이 있을 뿐이다.

4. 적응과 대응의 필요성

커리어 위기는 개인에게 새로운 상황에 적응하고, 때로는 전혀 다른 경로를 탐색할 필요성을 제시한다. 이는 새로운 기술을 배우거나, 다른 산업이나 직업으로 전환하는 것이 될 수도 있다. 적응력과 대응력은 직업 만족도와 개인의 정신적, 감정적 웰빙을 유지하는 측면에서 밀접하게 연관된다. 위기 상황에서도 긍정적으로 대처하면서 스트레스를 줄이려 해야 한다. 이때 변화에 대한 유연성을 기르는 것이 중요하다. 유연성은 한 번에 길러지는 능력이 아니다. 가능하면 작은 변화가 왔을 때 자기 마음을 살피며 감정적인 웰빙을 유지하는 학습의 기회로 삼아야 한다. 변화는 불가피하다. 커리어 위기 상황에서 유연하게 적응하는 능력은 개인이 새로운 기회를 포착하고, 변화하는 시장 조건에 맞춰 자신의 역량을 새롭게 개발하는 데 큰 도움이 된다. 새로운 환경변화와 위기 상황에 더 많은 압박감을 느끼는 사람일수록 이 단계의 준비가 필요하다.

내가 시스템 통합 기획자로 참여한 고객사에서 있었던 일이다. 고객사에는 수요예측 직무에서 탁월한 역량을 발휘해 발탁승진을 거듭해 온 유능한 수요예측 전문가가 있었다. 그 프로젝트가 종료되었을 때 고객사는 수요예측 솔루션을 도입하여 그 기업환경에 맞게 최적화하였다. 훨씬 더 정교하고 오류가 적으며 다양한 분야에 활용이 가능한 수요예측 시스템이 구축된 것이다. 이제 그의 수요예측 역량은 필요가 없어졌다. AI가 아니라도 이미 시스템을 통합하는 프로젝트를 마치면 수많은 인력의 이동이 이뤄지는 것을 오랫동안 경험했다. 그런데 이들 중 급격한 기술 변화와 자기 역량을 연결하여 미리 준비한 사람들은 오히려 더 나은 곳으로 이동하여 자기 영역을 구축해 가는 일도 많이 보게 되었다.

5. 감정적 반응

커리어 위기는 강한 감정적 반응을 유발할 수 있다. 스트레스, 불안, 우울감 등은 커리어 위기 상황에서 흔히 경험되는 감정적 반응이다. 이는 때로 복합적이며 감정의 단계를 정의하기 어려운 적도 많다. 중요한 것은 자신의 감정적 반응이 어디서 오는 것인지를 인식하는 것이 중요하다.

- **충격과 부정**: 커리어 위기 초기 단계에서, 개인은 종종 충격을 받고, 자신의 상황을 부정하려는 경향이 있다. 이는 예상치 못한 해고, 승진 실패, 또는 중대한 직업적 실패와 같은 상황에서 일반적으로 나타나는 반응이다.

- **분노와 좌절감**: 충격과 부정 단계 이후, 개인은 자신의 상황에 대해 분노하거나 좌절감을 느낄 수 있다. 이러한 감정은 외부 요인이나 다른 사람들에 대한 원망으로 나타날 수 있다.

- **불안과 두려움**: 커리어의 불확실성은 불안과 두려움을 야기한다. 이는 미래에 대한 불확실성, 재정적 불안정성, 또는 새로운 역할을 찾는 과정에서의 어려움이 클수록 정신적 불안감은 커진다.

- **슬픔과 우울감**: 일부 개인은 상실감을 느끼며 슬픔이나 우울감으로 이어질 수 있다. 특히 그들이 자신의 직업에 강한 정체성을 가지고 있었던 경우 더욱 심각할 수 있다.

- **수용과 적응**: 마지막으로, 개인은 자신의 상황을 받아들이고 이에 적

응하기 시작한다. 이 단계에서는 새로운 기회를 모색하고, 자기 계발에 집중하며, 새로운 커리어 목표를 설정하는 등 긍정적인 변화가 일어날 수 있다.

앞서 설명한 감정적 반응은 일부일 뿐이며 이러한 감정적 반응들은 개인의 성격, 경험, 지원 시스템의 유무 등에 따라 다양하게 나타난다.

나의 경우는 위 감정을 모두 여러 번 겪었다. 한 번은 팀원의 말과 태도로 인해 상처받고 감정적 반응과 함께 신체적으로 여러 증세를 겪었다. 불면증, 메니에르병 그리고 피부에 염증이 생기며 병명을 확정받지 못하는 알 수 없는 증세로 치료에 오랜 시간이 걸렸다. 마음에 평안을 갖기 위해 명상을 비롯해 다양한 시도를 끊임없이 했다.

"당신이 만약 이와 같은 상황에 있다면 당신도 회복할 수 있다.
다시 한번 진심으로 말하자면 당신도 회복할 수 있다."

그런데 실제로 많은 사람이 직장이나 나의 경우와 유사하거나 때로 더 심한 상황에 놓이게 된다. 나에게 조언을 구할 때 나는 무조건 그냥 참으라거나 잊으라고 조언하지 않는다. 극복해 가는 과정은 개인마다 다르기 때문이다. 감정적 반응의 단계에서 자신이 느끼는 것이 무엇인지 인식하는 것이 회복의 시작이다. 나의 경우는 마음공부를 하고 새로운 학습을 통해 천천히 회복의 과정을 거쳤다. 다른 사람의 도움을 받는다는 것을 그때는 생각하지 못했다. 이후에 깨달은 것이지만 필요한 경우 전문적인 도움을 받는 것도 괜찮다고 열린 마음을 갖는 것이다. 요즘에 상담이나 코칭, 치유센터, 마음관리 워크샵 등 정신적, 신체적 회복을 위한 좋은 선택안이 이전보다 훨씬 많다. 자신에게 맞는 방법을 시도해 보자. 그리고 또 한 가지 나의 극복에 영향을 미친것은 긍정적인 마인드로 평상심을 유지하려는 행동이었다. 이 회복의 과정은 워크샵에서 단계별 변화를 구체적으로 공유하며 참석자 자신만의 회복을 위한 길을 찾도록 도와주는 부분이기도 하다.

6. 불확실성과 미래에 대한 걱정

커리어 위기는 종종 불확실한 미래에 대한 걱정을 수반한다. 이러한 불확실성은 개인이 경력과 삶의 방향을 재고하는 데 중대한 영향을 미칠 수 있다.

- **직업 안정성의 결여:** 요즘의 직장 환경에서는 조직의 변화, 산업의 변동, 기술의 발전 등으로 인해 직업 안정성이 예전보다 훨씬 줄어들었다. 이러한 변화는 개인이 자신의 직업적 미래에 대해 불확실하게 느끼게 만든다.

- **경력 발전의 불투명성:** 많은 사람이 자신의 경력 경로와 관련하여 명확한 방향성을 결정하기 어려워한다. 특히, 경력 전환, 승진의 기회 부족, 또는 역량 개발의 기회가 제한될 때 이러한 불확실성은 더욱 커진다.

- **경제적 불안정성:** 재정적 불안은 큰 스트레스 요인이다. 일자리를 잃거나, 수입이 줄어들 경우, 생활비, 은퇴 준비, 가족 부양 등의 재정

적 압박이 커지며 미래에 대한 불안감은 증가한다.

- **역할의 변화:** 기술 발전과 같은 외부 요인으로 인해 많은 직업에서 역할이 변화하고 있다. 이러한 변화는 개인이 자기 기술과 경험이 더 이상 시장에서 유효하지 않을 수 있다는 두려움을 갖게 만든다.

- **개인적 요소의 영향:** 가족, 건강, 개인적 목표 등 개인 생활의 변화도 커리어에 영향을 미친다. 이러한 개인적 요소의 변화는 직업적 결정에 영향을 미치며, 미래에 대한 불확실성을 증가시킬 수 있다.

이러한 불확실성과 미래에 대한 걱정은 스트레스, 불안, 우울감 등을 유발할 수 있다. 이는 개인의 직장 성과, 직업 만족도, 심지어 개인 생활에도 부정적인 영향을 미칠 수 있다. 따라서, 이러한 불확실성을 관리하고 미래에 대한 긍정적인 계획을 세우는 것이 중요하다. 이를 위해서는 자기 인식과 성찰, 경력 목표 설정, 지속적인 학습과 역량 개발, 전문적인 커리어 상담이 도움이 된다.

또한, 자기 직무 전문성과 경쟁력을 강화하고 시장에서의 경쟁력을 유지하면 새로운 직업 기회를 얻거나, 현재 직장에서 더 높은 위치에 오르는 데 도움이 된다. 조직에서 어떤 직무를 얘기할 때 자신의 이름이 가장 먼저 회자한다면 다른 회사에서도 원하는 사람이라는 뜻이다. 현재 경력자들이 전문 역량을 갖추어 가는 과정은 과거와 결이 다르다. 국제 정세, 기술 변화, 트렌드, 전략, 인적 네트워크 등 정보가 넘치고 분석이 일상이 된 시대이다. 요즘에 이런 상황을 반영하여 장기적 비전을 가지고 자기 커리어의 전문성과 경쟁력을 강화하고 있는 각 분야의 전문가를 어렵지 않게 만나게 된다.

더불어 개인적 성장과 학습 기회를 통해 기회를 만들 수도 있다. 새로운 도전에 직면함으로써, 개인은 새로운 기술을 배우고, 적응력을 강화하며, 자신에 대해 더 잘 이해할 기회가 될 수 있다.

"안정된 환경에서는 필요성을 느끼지 못했던 것이 위기가 찾아오면
비로소 미리 준비했었어야 한다는 것을 깨닫게 되는 경우가 많다."

현시대는 평생학습의 시대다. 현재 당면한 직무 외에 자신이 원하는 것이 무엇인지 그리고 그것을 성취하기 위해 어떤 기술과 학습이 필요한지 항시 살펴야 한다. 그리고 개인의 유연성, 자원 활용 능력, 지원 네트워크의 강도, 그리고 변화에 대한 개인적인 태도에 크게 의존하게 된다.

이 커리어 위기는 나쁜 면만 있는 것이 아니다. 오히려 새로운 기회의 창을 열 수도 있으며, 이를 통해 더 나은 직업적 경로를 찾거나 새로운 전문적 능력을 개발할 기회로 활용하자.

커리어 위기관리를 위한 코칭 질문

커리어 위기에 직면했을 때 막연한 불안감과 두려움을 효과적으로 관리하기 위해, 다음과 같은 구체적이고 명확한 코칭 질문을 제시한다. 이 질문들은 위기의 다양한 특징을 탐색하고, 현재 상황을 보다 잘 이해하고 대처할 수 있도록 구성하였다.

각 질문에 답함으로써, 자신의 생각을 명료하게 정리하고, 위기 상황을 보다 긍정적이고 건설적인 방식으로 받아들이게 된다.

1. 예상치 못한 변화

- 이번 변화가 당신의 커리어에 어떤 영향을 미쳤나요?
- 이 변화를 경험하면서 어떤 감정을 느꼈나요?
- 이 상황에서 가장 큰 도전은 무엇이라고 생각하나요?
- 이전에 비슷한 상황을 경험한 적이 있나요? 그때는 어떻게 대처했나요?
- 이 변화로 인해 새롭게 발견한 기회가 있나요?
- 현재 상황을 어떻게 긍정적으로 바라볼 수 있을까요?
- 이 상황에서 당신에게 가장 중요한 것은 무엇인가요?
- 이 변화가 당신의 장기적인 커리어 목표에 어떤 영향을 미칠까요?
- 이 상황을 극복하기 위해 어떤 지원이나 자원이 필요한가요?
- 이 경험으로부터 배울 수 있는 교훈이 있나요?

2. 업무 전문성 타격

- 이번 충격이 당신의 전문적 정체성에 어떤 영향을 미쳤나요?
- 이 상황을 어떻게 이해하고 계시나요?
- 이 충격으로 인해 당신의 커리어에 대해 어떻게 생각이 바뀌었나요?
- 이번 경험이 당신의 자존감에 어떤 영향을 미쳤나요?
- 이 상황에서 당신이 가장 걱정하는 것은 무엇인가요?
- 이 충격을 극복하기 위해 어떤 지원이 필요한가요?
- 이번 경험에서 얻은 가장 중요한 교훈은 무엇인가요?
- 이 충격이 당신에게 어떤 새로운 기회를 제공할 수 있을까요?
- 이 상황에서 당신의 강점은 무엇이라고 생각하나요?
- 앞으로 당신의 커리어를 어떻게 재구성하고 싶으신가요?

3. 장기적인 영향

- 이번 위기가 당신의 장기적인 커리어 계획에 어떤 영향을 미쳤나요?
- 이 상황이 앞으로 당신의 커리어 선택에 어떤 변화를 불러올까요?
- 이 경험이 당신의 미래에 관한 생각에 어떤 영향을 미쳤나요?
- 장기적으로 이 상황을 어떻게 관리하고 싶으신가요?
- 이 위기를 통해 당신이 발견한 새로운 기회는 무엇인가요?
- 이 상황에서 당신의 가장 큰 우려는 무엇인가요?
- 이번 위기가 당신의 삶의 질에 어떤 영향을 미칠 것 같나요?
- 이 경험으로 인해 당신의 가치관이나 우선순위에 어떤 변화가 있었나요?
- 이 상황에서 얻을 수 있는 가장 중요한 교훈은 무엇인가요?

- 이 경험을 통해 당신은 어떻게 성장하고 싶으신가요?

4. 적응과 대응의 필요성

- 이 상황에 적응하기 위해 어떤 변화가 필요한가요?
- 새로운 환경이나 요구사항에 적응하기 위한 당신의 계획은 무엇인가요?
- 이번 변화를 통해 새롭게 배우고 싶은 기술이나 지식이 있나요?
- 이 상황에서 당신의 강점을 어떻게 활용할 수 있을까요?
- 새로운 경로나 기회를 탐색하기 위해 어떤 조치가 필요한가요?
- 이 변화에 대응하기 위해 필요한 지원이나 자원은 무엇인가요?
- 이 상황에서 가장 중요한 것은 무엇이라고 생각하나요?
- 이번 위기를 극복하는 과정에서 어떤 도전을 예상하나요?
- 이 상황에서 당신의 주요 목표는 무엇인가요?
- 이번 경험으로 인해 당신이 가장 중요하게 생각하는 가치는 무엇인가요?

5. 감정적 반응

- 현재 경험하고 있는 감정을 세 단어로 표현한다면 어떤 단어를 선택하겠습니까?
- 이러한 감정적 반응이 당신의 일상생활이나 결정에 어떤 영향을 미치고 있나요?
- 이 감정들을 경험할 때 당신은 보통 어떻게 반응하나요?

- 이 감정들이 당신에게 어떤 중요한 메시지를 전달하고 있다고 생각하나요?
- 이 감정들을 관리하고 조절하기 위해 어떤 전략을 사용해 볼 수 있을까요?
- 이 감정들을 느끼는 것이 당신에게 어떤 긍정적인 측면을 가지고 있을 수 있나요?
- 현재 느끼고 있는 감정들과 관련하여 당신에게 가장 중요한 것은 무엇인가요?
- 이 감정들이 당신의 커리어 결정에 어떤 영향을 미칠 수 있을까요?
- 이러한 감정적 경험을 통해 당신이 배울 수 있는 것은 무엇이라고 생각하나요?
- 이 감정들을 표현하고 해소하는 데 있어 당신에게 도움이 될 수 있는 사람이나 활동이 있나요?

6. 불확실성과 미래에 대한 걱정

- 불확실한 미래에 대해 가장 걱정하는 부분은 무엇인가요?
- 미래에 대한 이러한 걱정이 당신의 현재 결정에 어떻게 영향을 미치고 있나요?
- 불확실성을 줄이기 위해 당신이 취할 수 있는 조치는 무엇인가요?
- 당신의 걱정을 완화하는 데 도움이 될 수 있는 자원이나 사람은 누구인가요?
- 불확실성을 관리하기 위해 과거에 어떤 전략을 사용했나요? 그것이 효과적이었나요?
- 당신이 가장 통제할 수 있는 커리어 관련 요소는 무엇인가요?

- 불확실한 상황에서 당신의 강점과 능력을 어떻게 활용할 수 있나요?
- 불확실한 미래에 대해 생각할 때, 당신을 긍정적으로 유지하게 하는 것은 무엇인가요?
- 이 불확실성 속에서 당신이 발견한 기회는 무엇인가요?
- 미래에 대한 당신의 걱정을 줄이기 위해, 당신이 지금 할 수 있는 작은 조치는 무엇인가요?

나의 위기를 관리하기 위한 코칭 질문의 답변을 정리한다. 다음 장의 '나의 커리어 위기관리 준비하기' 워크시트에 바로 작성해 보자.

나의 커리어 위기관리 준비하기

1. 예상치 못한 변화

2. 업무 전문성에 타격

3. 장기적인 영향

4. 변화 적응과 대응의 필요성

5. 감정적 반응

6. 불확실성과 미래에 대한 걱정

★ 코칭 질문에 답한 후, 지금은 커리어 위기를 어떻게 인식하고 있나요?

★ 이 위기 상황에서 배울 수 있는 것은 무엇인가요?

★ 이 배움을 앞으로 어떻게 적용할 수 있을까요?

★ 위 적용할 내용 중 가장 먼저 행동으로 할 것은 무엇인가요?

3부 실행 모니터링

10장. 실행 모니터링

feedback & monitoring

실행 모니터링은 왜 중요한가

커리어의 실행 모니터링은 자신의 업무 성과와 커리어 개발 경로를 지속적해서 검토하고 조언하는 과정을 의미한다. 이 과정은 개인이 자신의 직업적 성장을 이해하고, 목표를 설정하며, 필요한 스킬과 역량을 개발할 수 있도록 지원한다. 이때 동료, 상사, 멘토 등 다양한 인물로부터 피드백을 받으며 자신에 대한 성찰과 평가도 한다. 이러한 피드백은 긍정적인 성과를 인정하고, 개선이 필요한 영역을 구분하여 구체적인 발전 방향을 제시하는 자원이 된다. 그리고 자신이 원하는 커리어의 방향을 위해 지속해서 실행하게 하는 원동력이 된다.

모니터링 과정에서는 개인의 커리어 목표 달성을 위해 정기적으로 진행 상황을 점검한다. 이를 통해 자신의 커리어 경로를 명확하게 이해하고, 자신의 역량과 관심사에 맞춰 먼저 세운 커리어 목표를 조정할 수 있다. 또한, 모니터링은 장기적인 커리어 플랜에서 반드시 포함되는 활동으로 개인이 직면할 수 있는 도전과 기회를 예측하고, 이에 대비할 수 있도록 돕는다.

커리어 피드백과 모니터링 과정이 왜 중요한가. 첫째, 자신의 성과와 잠재력을 정확히 파악할 수 있다. 둘째, 자신의 경력 목표와 직업적 가치를 명확히 하여, 보다 효율적으로 경력을 관리할 수 있다. 셋째, 필요한 스킬과 지식을 개발하여 경쟁력을 강화할 수 있다. 마지막으로, 개인의 동기 부여와 직무 만족도를 향상하면서, 전문적 성장을 지속할 수 있는 기반을 마련한다. 이러한 이유로 커리어 플랜 세우기 워크샵과 강의를 마치고 나서도 지속적인 모니터링이 필요하다고 중요성을 강조하고 있다.

피드백과 모니터링을 통한 지속적인 성장

커리어 피드백과 모니터링 과정의 목적은 다양하고 복합적이다. 피드백은 조직안에서 시스템적으로 받기도 하고, 스스로 조직 밖에서 다른 경로를 통해 전문적으로 피드백을 받을 수 있다. 피드백은 자신의 직업적 성장과 발전을 이해하고, 이를 통해 전문적인 성공을 달성할 수 있도록 지원한다.

커리어 피드백과 모니터링의 주요 목적의 실사례를 덧붙여 설명하고자 한다.

- **성과 향상:** 개인의 업무 성과를 지속적으로 평가하고 피드백을 제공함으로써, 업무의 질과 효율성을 향상한다. 자신의 성과를 자각하고, 성공적인 업무수행을 위한 동기를 부여받을 수 있게 한다.

  김영은 프로는 마케팅 부서에서 일하며, 분기마다 상사로부터 업무 성과에 대한 피드백을 받는다. 최근 피드백에서는 프레젠테이션 스킬의 개선이 필요하다는 지적을 받았다. 처음 피드백을 받았을 때는 자신의 프레젠테이션 스킬이 부족하다고 인정하고 싶지 않았다. 하지만 자신과 조직의 기대와 평가 기준이 다르다는 것을 코칭 대화를 통해 도출해 내었다. 이에 따라 온라인 코스를 통해 프레젠테이션 기술을 강화하면서, 프레젠테이션을 잘하는 선배로부터 개선 조언을 받고 연습을 거듭했다. 이후 다음 프로젝트 발표에서 크게 성공을 거두어 팀의 목표 달성에 기여하는 결과를 냈다. 이 과정을 통해 김 프로는 자신의 성과를 자각하고, 업무의 질과 효율성을 향상할 수 있었다. 그리고 무엇보다 중요한 개인적 성과는 이 과정을 통해 자신감이 향상하여 자기 신뢰와 확신을 경험한 것이다.

- **커리어 목표설정과 달성:** 자신의 직업적인 관심사와 장기적인 커리어의 목표를 명확히 하고, 이를 달성하기 위한 구체적인 계획을 수립할 수 있도록 돕는다. 이 과정은 개인이 자기 경력을 적극적으로 관리하고, 전문적인 발전을 위한 목표를 설정하는 데 중요하다.

박태준 프로는 소프트웨어 개발자로서 장기적으로 기술 부분의 리더가 되는 목표를 설정했다. 그는 멘토와의 정기적인 미팅을 통해 이 목표를 달성하기 위한 단계별 계획을 수립했다. 이 계획에는 새로운 프로그래밍 언어 학습, 리더십 교육 프로그램 참여, 프로젝트 관리 경험 쌓기 등이 포함되었다. 박 프로의 경우는 장기간 단계별 실행계획을 모니터링하고 있다. 이 과정을 실행하는 동안 기술 리더로서의 역량뿐 아니라 스스로 약하다고 생각했던 경영 분야의 관리능력을 발견했다. 자신은 공대를 졸업하여 경영은 다른 영역이라고 생각했는데 기술 리더의 역량을 개발하면서 경영 분야에 관심과 흥미가 있다는 것을 깨닫게 됐다는 것이다. 박 프로는 자신의 커리어에 대해 적극적인 피드백을 받으며 다각적으로 모니터링하고 있으며 기술 리더 목표뿐만 아니라 새롭게 설정된 목표인 경영 부문 리더를 위해 경영 대학원 진학을 앞두고 있다.

- **커리어 개발 요구를 파악:** 개인의 강점과 약점을 파악하고, 필요한 역량 개발을 위한 기회를 제공한다. 이는 자신의 전문성을 강화하고, 경쟁력을 유지하며, 커리어를 개발하는 동안 발생하는 변화와 도전에

효과적으로 대응할 수 있게 한다.

사례를 들자면, 이하은 프로는 디자인 팀에서 근무하고 있으며, 연간 성과 평가를 통해 자신의 강점은 창의력과 혁신성이라는 것을 확인했다. 반면, 프로젝트 관리 능력이 개선될 필요가 있다는 피드백을 받았다. 자신이 프로젝트 관리 역량이 약하다는 것을 알고 있고 자신에겐 버거운 부분이라고 생각이되 그동안 최대한 교육을 미루고자 했다고 말했다. 그러나 팀리더가 되고 싶은 현재 상황에서는 조직의 피드백을 진지하게 받아들이고 사내에서 제공하는 프로젝트 관리 과정을 이수했다. 결과적으로 이 과정을 이수하고 실제 업무에 적용해 보니 프로젝트를 훨씬 더 효과적으로 관리할 수 있게 되었다. 특히 자신의 강점 부분인 창의력과 혁신성에 프로젝트 관리 역량이 추가되니 조직의 목표 달성에 기존의 틀을 벗어난 성공적인 시너지를 가져왔다. 피드백을 활용해 개인의 강점을 활용하고 약점을 개선하는 데 중요한 역할을 한 사례이다.

- **동기부여 및 직무 만족도 증진:** 긍정적인 피드백과 성취의 인정은 개인의 자신감을 높이고, 동기를 부여한다. 이는 직무 만족도를 증진시키고, 개인이 자신의 업무와 경력에 더욱 헌신하게 만든다.

  최정호 프로의 예는 고객 서비스 팀에서 근무하면서, 고객 만족도에서 탁월한 평가를 받으며 회사로부터 인정을 받아왔다. 이러한 성취는 긍정적인 피드백을 받고 승격, 연봉 인상 등의 직접적인 보상으로 이어졌다. 최 프로 자신은 업무에 대한 자신감이 높아지고, 더 큰 동기부여를 느꼈으며 자신의 직무 만족도가 증진되고, 회사에 더욱 강한 유대감을 느끼게 되었다.

- **조직과의 일치성 강화:** 개인의 경력 목표와 조직의 목표 일치를 통해 개인은 조직 내에서 자신의 역할과 기여를 명확히 인식하고, 조직의 성공에 기여하는 방향으로 자신의 경력을 발전시킬 수 있다.

  안소연 프로는 인사 부서에서 근무하며, 회사의 인재 개발 목표와 자신의 경력 목표를 일치시키기 위해 노력했다. 안 프로는 회사의 리더십 개발 프로그램을 이끌며, 자신의 전문성을 강화하고 조직 내에서 중요한 역할을 하게 되었다. 이 과정은 개인과 조직의 목표가 어떻게 상호 보완적일 수 있는지 보여준다.

- **적응력 및 유연성 증진:** 커리어 피드백과 모니터링은 개인이 변화하는 직장 환경과 자기 직무 분야의 요구에 효과적으로 적응하고, 유연하게 대응할 수 있도록 준비하는 데 도움이 된다.

  김현수 프로 IT 부서에서 근무하며, 기술의 빠른 변화에 대응하기 위해 지속해서 학습하고 새로운 기술을 습득했다. 이러한 노력은 김 프로가 새로운 시스템 구현 프로젝트를 성공적으로 이끌 수 있게 했으며, 변화하는 직장 환경과 직업 세계의 요구에 효과적으로 적응하고 유연하게 대응할 수 있도록 준비할 수 있었다.

커리어 피드백과 모니터링의 목적과 적용은 다양하지만. 궁극적으로 개인이 자신의 경력을 적극적으로 관리하고, 지속적인 발전을 추구하며, 개인과 조직 모두에 이익이 되는 방향으로 성장할 수 있도록 지원하는 데 있다.

피드백과 모니터링 고려 사항

커리어 피드백과 모니터링 과정을 설계하고 실행할 때의 고려 사항이다. 여기서는 조직과 개인 상호 피드백 과정에서 효율성을 높이고 목적한 바를 달성하여 개인과 조직에 최대한의 이익을 제공하려면 필수적으로 전제되어야 하는 사항을 중심으로 설명한다.

피드백과 모니터링의 성공은 개방적이고 정직한 커뮤니케이션에 크게 의존하기 때문에 조직 내에서 피드백을 주고받는 것이 자연스러운 문화가 되도록 장려해야 한다. 이는 피드백이 긍정적이든 부정적이든 간에 수용적이고 건설적인 방식으로 이루어질 수 있게 한다. 모든 개인은 다른 경험, 역량, 목표를 가지고 있다. 따라서 피드백과 모니터링 과정은 각 개인의 필요와 상황에 맞춰 조정되어야 한다. 개인의 경력 목표, 강점, 개선이 필요한 영역 등을 고려하여 개인화된 개발 계획을 수립해야 한다.

피드백과 모니터링은 일회성 이벤트가 아니라 지속적인 과정이다. 개인이 자신의 목표를 달성하고 개발 계획을 실행에 옮길 수 있도록 지속적인 지원과 필요한 자원을 제공해야 한다. 이는 교육 프로그램, 멘토링, 코칭 세션 등을 포함한 적극적인 지원을 의미한다. 또한, 피드백은 단순히 성과 평가에만 초점을 맞추어서는 안 된다. 개인의 전문적인 발전과 성장에도 주목해야 한다. 성과와 개발 목표 사이의 균형을 이루어, 개인이 단기적인 업무 성과를 넘어 장기적인 경력 발전을 도모할 수 있도록 해야 한다.

커리어 피드백과 모니터링 과정 자체도 정기적으로 평가하고 필요에 따라 조정해야 한다. 이는 과정의 효과성을 보장하고, 변화하는 조직의 요구와 개인의 목표에 계속 부응할 수 있게 한다. 이 부분에서 중요한 점은 피드백은 구체적이고 행동 지향적이어야 한다. 단순히 문제를 지적하는 것을 넘어, 개선을 위한 구체적인 조치와 행동 계획을 제안해야 한다. 이는 개인이 자신의 성과를 실질적으로 개선할 수 있는 명확한 방향을 제공해야 한다는 것이다. 이 과정은 신뢰와 존중의 분위기 속에서 이루어져야 한다. 개인이 자신의 의견과 우려를 자유롭게 표현할 수 있는 환경을 조성해야 하며, 모든 피드백은 개인의 성장과 발전을 지원하는 긍정적인 의도에서 제공되어야 한다.

위의 고려 사항을 통해 커리어 피드백과 모니터링 과정을 잘 설계하고 실행한다면, 피드백을 받는 당사자 입장에서 긍정적인 태도를 가지고 개인의 성장과 조직의 발전을 동시에 촉진할 수 있다.

다양한 모니터링 방법

커리어 피드백과 모니터링을 효과적으로 수행하는 방법은 개인의 상황에 따라 단계와 접근 방법이 다르다. 그렇지만 개인과 조직의 성장을 지원하고, 목표 달성을 돕기 위해 설계되어야 한다는 목적은 같다. 경험을 통해 깨달은 중요하게 여기는 몇 가지 모니터링 방법을 소개한다.

정기적인 피드백 세션을 갖는다. 일대일로 직접적인 대화를 통해 개인의 성과, 강점, 개선점 등을 논의하는 세션은 정기적으로 이루어져야 지속적이고 구체적이며 섬세한 조정을 하며 관리할 수 있다. 얼마나 정기적으로 모니터링을 해야 하는지 묻는다면 개인적으로 다양한 상황에 따라 적정한 주기가 다르겠지만 일반적으로 6개월 단위를 제안한다. 그동안 코칭 고객과 워크샵 참가자에게 6개월 단위로 정기적인 피드백 세션을 진행했을 때 적정한 피드백을 주면서 변화의 흐름과 기회를 놓치지 않고 커리어 방향을 조정하기에 적정한 기간으로 판단하기 때문이다.

또한, 360도 피드백을 받는 것도 커리어 모니터링을 위한 좋은 방법이다. 동료, 상사, 부하직원 등 다양한 관점에서 피드백을 수집하여 다면평가를 받으면 자신을 인식하는 나와 다른 사람이 인식하는 나의 모습이 다를 수 있다. 즉 개인에게 자신의 행동과 성과가 다른 사람들에게 어떻게 인식되는지에 대한 폭넓은 이해를 제공받을 수 있다.

다음은 성과에 대한 리뷰하는 것이다. 연간 또는 반기별 성과 리뷰를 통해 개인의 업무 성과를 평가하고, 목표 달성 정도를 검토한다. 이는 개인이 자신의 진행 상황을 이해하고, 필요한 조치를 할 수 있도록 하는 자원이 된다. 조직안에서 시스템적으로 관리하며 결과를 모니터링하는 것도 좋지만 개인의 커리어 플랜 전체의 비전을 가지고 성과를 지속적으로 리뷰해 가는 것을 강력하게 권한다.

마지막으로 커리어 코칭이나 자기 분야의 전문가와의 상담도 모니터링 방법으로 적극 추천한다. 커리어 코치나 멘토와 정기적으로 만나 개인의 커리어 목표와 현재 직면한 도전은 무엇인지 현재 상태에서 만들 기회 등에 대해 논의하길 권한다. 이 모니터링 방법은 자신의 커리어 경로의 방향을 이해하고 단계별로 무엇을 해야 하는지 명확한 실행을 구체화한다. 그리고 필요한 조처를 할 수 있도록 적극적인 도움을 받으면서 성장할 수 있기 때문이다.

커리어 여정에서 잠시 멈추어서 숨을 고르고 현재를 들여다보는 것도 모니터링의 좋은 방법이다. 다음 코칭 질문에 스스로 답하면서 자신의 현재 커리어를 정리해 보자.

커리어 모니터링 코칭 질문

    커리어 플랜의 피드백과 모니터링을 커리어 목표설정, 스킬 개발, 네트워킹 및 관계 구축, 진행 상황 모니터링 및 조정 4개의 카테고리별 코칭 질문에 답해보자. 이 질문들은 개인이 자신의 경력 목표를 성찰하고, 진행 상황을 평가하는 데 도움을 주는 질문이다. 예를 들어, 6개월, 또는 1년 단위로 기간을 정하고 정기적으로 답해보면 자신이 현재 어디로 가고 있는지 알 수 있고 답변을 통해 도출된 현재 상황은 실행을 계획하게 하는 자원이 된다. 현재 시점을 기준으로 질문에 답을 한다.

1. 커리어 목표설정

- 커리어 목표 달성을 위해 현재 어떤 구체적인 실행을 하고 있나요?
- 커리어 장기 및 단기 목표는 무엇인가요? 어떤 변화가 필요한가요?
- 이 목표들이 자신의 개인적 가치와 어떻게 일치하고 있나요?
- 이 목표를 달성하기 위해, 필요한 핵심 역량은 무엇인가요?
- 이 목표가 현재의 시장 상황과 어떻게 부합하나요?
- 목표 달성을 위해 어떤 자원과 지원이 필요한가요?
- 목표 달성을 위한 시간 프레임은 합리적인가요?
- 당신의 현재 경력 목표가 변화하는 직업 환경에 어떻게 적응할 수 있나요?
- 이 목표가 당신에게 도전적이라고 느껴지는 부분은 무엇인가요?
- 이 목표를 달성했을 때 자신은 어떤 모습인가요?

2. 스킬 개발

- 현재 자신의 강점은 무엇이라고 생각하나요?
- 개선이 필요한 영역은 어디라고 생각하나요?
- 새로운 기술이나 지식을 습득하기 위해 어떤 자원을 활용할 수 있나요?
- 최근에 배운 새로운 스킬이나 지식은 무엇인가요?
- 학습 과정에서 어려움을 겪었던 경험은 무엇인가요?
- 다가오는 기간 동안 배우고 싶은 새로운 기술이나 지식이 있나요?
- 스킬 개발을 위해 설정한 목표의 진행 상황은 어떠한가요?
- 학습 방법을 개선하기 위해 어떤 전략을 시도해 볼 수 있나요?
- 어떤 스킬이나 지식이 당신의 경력 목표에 가장 중요한가요?
- 스킬 개발 과정에서 누구에게 도움을 요청할 수 있나요?

3. 네트워킹 및 관계 구축

- 최근에 새로운 전문가 네트워크에 참여한 경험이 있나요?
- 네트워킹을 통해 어떤 새로운 기회를 발견했나요?
- 당신의 네트워크 내에서 멘토 또는 조언자가 있나요?
- 관계를 구축하고 싶은 새로운 사람이 있나요?
- 네트워킹 활동에서 어려움을 겪고 있는 부분은 무엇인가요?
- 네트워킹을 통해 얻고 싶은 것은 무엇인가요?
- 온라인과 오프라인 활동의 균형은 어떻게 관리하고 있나요?
- 네트워킹 활동의 효과를 어떻게 평가하나요?
- 네트워킹을 통해 어떤 새로운 관점이나 아이디어를 얻었나요?
- 어떻게 하면 네트워크 내에서 더 활발한 기여를 할 수 있나요?

4. 진행 상황 모니터링 및 조정

- 설정한 목표에 대한 진행 상황을 어떻게 추적하고 있나요?
- 목표 달성에 있어 당면한 주요 장애물은 무엇인가요?
- 최근에 계획을 수정해야 했던 경험이 있나요? 그 이유는 무엇인가요?
- 진행 상황을 평가할 때 어떤 기준을 사용하나요?
- 목표 달성 과정에서 어떤 지원이 필요한가요?
- 진행 상황에 만족하나요, 아니면 어떤 부분이 개선되어야 하나요?
- 계획의 우선순위를 어떻게 결정하나요?
- 실패나 지연을 경험했을 때, 어떻게 대응하나요?
- 달성한 성과를 어떻게 기념하거나 보상하나요?
- 앞으로 몇 개월간 집중해야 할 주요 영역은 무엇인가요?

나의 커리어 모니터링하기

1. 커리어 목표설정
_____

2. 스킬 개발
_____

3. 네트워킹 및 관계 구축

4. 진행 상황 모니터링 및 조정

★ 이번 모니터링 질문을 통해 새롭게 깨닫게 된 것은 무엇인가요?

★ 새롭게 깨닫게 된 것을 어떻게 실행계획에 적용할 수 있을까요?

11장. 실행계획 조정

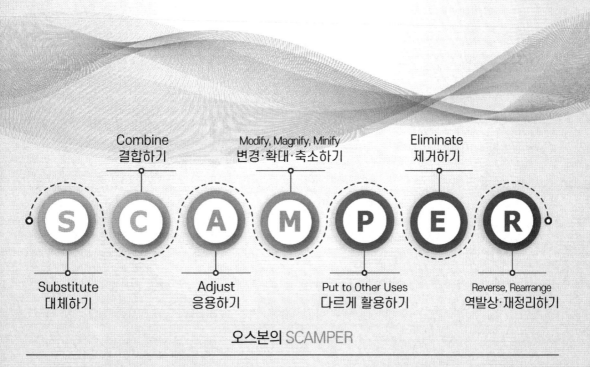

Combine
결합하기

Modify, Magnify, Minify
변경·확대·축소하기

Eliminate
제거하기

S C A M P E R

Substitute
대체하기

Adjust
응용하기

Put to Other Uses
다르게 활용하기

Reverse, Rearrange
역발상·재정리하기

오스본의 SCAMPER

실행계획 조정은 반드시 필요하다

커리어 플랜을 세우고 실행해 나가는 중에 실행 계획을 조정하는 것은 커리어 개발 과정에서 필수적인 단계이다. 목표가 변경되기도 하고 새로운 기회가 발생하고, 예상치 못한 도전이 나타나기 때문이다. 이 과정을 통해 자기 커리어를 적극적으로 관리하며 성장을 촉진할 기회가 된다. 변화에 유연하게 대응하고, 목표를 지속적으로 재평가하며, 자신이 가치 있게 여기는 바를 추구함으로써 자신이 원하는 보다 만족스러운 커리어를 구축할 수 있기 때문이다.

"실행계획을 조정함으로써, 변화하는 환경에 능동적으로 대응하고 커리어의 목표를 효과적으로 달성할 수 있다."

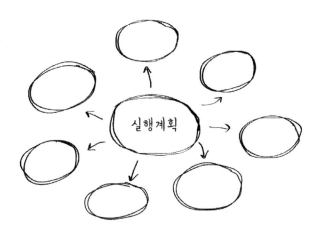

실행계획 조정은 자신의 커리어 상태와 시장 환경을 평가하는 일에서 시작한다. 지금까지 자신이 달성한 목표, 개발한 기술, 그리고 자신의 경험이 어떻게 변화했는지에 대한 현재 상태 평가를 한다. 다음으로 목표를 재

설정해야 한다. 당초 설정한 목표가 여전히 유효한지 검토하고, 필요한 경우 새로운 목표를 설정해야 한다. 목표는 앞서 학습한 SMART(구체적, 측정 가능, 달성 가능, 현실성과 관련성, 시간제한)의 원칙을 따라 설정한다.

또한, SWOT 분석(강점, 약점, 기회, 위협)을 통해 현재 커리어 로드맵에서의 기회와 위협을 파악해야 한다. 그리고 필요한 자원(시간, 돈, 정보, 지원 네트워크 등)과 가능한 제약 조건을 평가해야 한다. 이제 실행 단계를 개발한다. 단기 및 장기 목표 달성을 위한 교육, 네트워킹, 기술 습득 등을 포함해서 구체적인 행동 계획을 수립한다. 결과적으로 실행 계획을 조정한다는 것은 1부 커리어 탐색과 2부 커리어 플랜 세우기의 과정을 재점검하는 것이 우선이 되어야 한다.

기존의 자기 커리어에서 큰 폭의 변화가 있다면 커리어 계획을 조정 과정에서 창의적인 아이디어를 도출하는 것이 필요하다. 그렇지만 전통적인 경로에서 벗어나 새로운 방향을 모색하는 것은 종종 어려움이 따른다. 예를 들어, 마케팅 전문가가 IT업계로의 전환을 고려한다면, 단순한 직무 경험을 넘어서 온라인 코스를 수강하거나, 기술 세미나에 참석하고, 실무 프로젝트에 참가하는 등 다양한 경험과 학습 방법을 탐색하며 실행계획을 조정할 필요가 있을 것이다. 이러한 과정에서 새로운 분야의 전문가들과의 네트워킹은 새로운 시각을 제공하고, 소중한 통찰력을 나눌 기회를 얻을 수 있다. 개인에게 맞춤화된 커리어 경로를 개척하는 것은 도전적일 수 있다. 이에 실행계획을 위한 아이디어 생성을 위해 오스본의 SCAMPER를 활용하여 조정을 해보자.

SCAMPER를 활용한 실행계획 조정

　오스본은 1930년대 그의 저서 'Applied Imagination'를 통해 우리가 아이디어를 생성하기 위해 하는 활동인 브레인스토밍을 개발했다. 브레인스토밍은 아이디어 생성을 목적으로 한 창의적 사고 기법의 하나로 개인 또는 집단의 창의성을 극대화하기 위해 널리 사용된다. 브레인스토밍의 핵심 목적은 가능한 한 많은 아이디어를 자유롭게 제시하여 문제 해결의 가능성을 탐색하는 것이다. 이에 더해 오스본은 기존 제품, 서비스, 프로세스 등을 개선하거나 새로운 아이디어를 생성하는 데 도움을 주는 체크리스트를 개발한다. SCAMPER는 체크리스트의 개념을 의미하는 영문 앞 글자로 만든 브레인스토밍 도구이다.

- 대체하기(Substitute)
- 결합하기(Combine)
- 응용하기(Adjust)
- 변경·확대·축소하기(Modify, Magnify, Minify)
- 다르게 활용하기(Put to Other Uses)
- 제거하기(Eliminate)
- 역발상·재정리하기(Reverse, Rearrange)

　오스본의 SCAMPER의 활용은 '기존 아이디어나 제품을 수정하는 다양한 방법을 고려하도록 유도하여 새로운 아이디어를 생성하는 데 사용할 수 있는 창의적 사고 기술'이 필요한 곳에서 유용하다. 즉, 무에서 유를 창조하기 위한 브레인스토밍 도구와는 다른 것이다. 디자인 씽킹 분야에서는 제품 개발 범위를 벗어나 다양한 영역에서 더 유연하고 창의적인 발상이 필요한 때 이 도구를 사용한다. 익숙한 사물이나 상황에 창의적인 발상이 적용되어 독창적인 아이디어가 생성되는 것이다.

기업에서 활용한 SCAMPER의 개념을 설명하고 적용된 예시를 살펴본다. 이 과정은 커리어의 실행계획 조정에 필요한 자기 사고의 전환에 도움이 된다.

- **대체하기(Substitute)**: 기존에 사용하고 있는 제품의 다른 재료나 성분을 대체하는 것에 대해 생각한다. 예를 들어 플라스틱 빨대-종이 빨대 또는 대나무 빨대로 대체되고, 부채는 선풍기로 그리고 에어컨으로 대체되며, 연필은 샤프로 대체되고 열쇠는 디지털 락도어 대체된다.

- **결합하기(Combine)**: 두 개 이상의 아이디어를 결합하여 새로운 것을 만들어 본다. 예를 들어 배낭과 태양 전지판을 결합하여 태양열 배낭이 출시되었고 티셔츠와 모자를 결합한 후드티가 세상에 나왔으며 운동화와 바퀴를 결합한 인라인스케이트, 연필과 지우개를 결합한 지우개 연필이 탄생한 것이다.

- **응용하기(Adjust)**: 기존 아이디어나 제품을 새로운 용도로 적용할 수 있는 방법을 생각해 본다. 예로, 자전거를 개조하여 페달 구동식 세탁기를 만들고, 민들레 씨가 낙하하는 모습을 본뜬 낙하산을 만든다.

- **변경·확대·축소하기(Modify, Magnify, Minify)**: 기존 아이디어나 제품을 수정하여 개선한다. 기존 스마트폰에 내장형 프로젝터의 기능을 탑재한 스마트폰을 개발하고, 휴대전화의 고리에 달릴 수 있는 교통 카드를 만들고,

기존의 자동차라고 생각하는 관념을 벗어난 다양한 모양의 자동차를 개발한다.

- **다르게 활용하기(Put to Other Uses)**: 기존 아이디어나 제품을 다른 맥락에서 어떻게 사용할 수 있는지 생각한다. 배송 컨테이너를 모바일 팝업 스토어로 사용하거나 계란판을 이용한 방음벽이 기존의 제품을 다르게 활용한 예가 된다.

- **제거하기(Eliminate)**: 기존 아이디어나 제품을 더 간단하고 효율적으로 만들기 위해 제거할 수 있는 요소를 고려한다. 음성으로 작동되는 명령을 사용해 이전에 당연하게 여겨진 물리적인 원격 제어를 불필요하게 만들거나, 무선 가전제품을 개발하고, 지방 버터 그리고 무카페인 커피도 이에 해당한다.

- **역발상·재정리하기(Reverse, Rearrange)**: 새로운 것을 만들기 위해 기존 아이디어나 제품을 어떻게 반전시킬 수 있는지 생각해 본다. 예를 들어 기존 자전거의 디자인을 뒤집어 리컴번트 자전거(Recumbent bicycle)를 출시했고, 김밥을 뒤집은 누드김밥도 이 역발상에 해당한다.

다음은 SCAMPER 개념을 실제 회계사와 요가 강사에게 적용한 질문이다. 두 명의 참가자는 각 개념에 기반한 질문의 답변을 통해 상상력이 발휘되며 아이디어가 구체화하고 명확해지는 결과를 얻었다. 예시 질문을 확인하며 자기 커리어를 비추어 보자.

실행계획 조정을 위한 SCAMPER 활용 예시

예시 1. 회계사를 위한 SCAMPER 질문

대체하기(Substitute)

* 현재 사용하고 있는 회계 소프트웨어를 더 효율적인 것으로 대체할 수 있나요?
* 수동 프로세스라면 자동화된 프로세스로 대체할 수 있나요?

결합하기(Combine)

* 회계 및 기타 서비스를 결합하여 고객에게 더 포괄적인 서비스를 제공할 수 있나요?
* 다른 회계 법인과 합병하여 범위를 확장할 수 있나요?

응용하기(Adjust)

* 새로운 고객의 요구에 맞게 현재 회계 프로세스를 조정할 수 있나요?
* 제공하는 가치를 더 잘 반영하도록 가격 책정 전략을 수정할 수 있나요?

변경·확대·축소하기(Modify, Magnify, Minify)

* 현재 재무제표를 고객에게 보다 사용자 친화적으로 수정할 수 있나요?
* 비용을 더 잘 추적하기 위해 부기 시스템을 조정할 수 있나요?

다르게 활용하기(Put to Other Uses)

- 회계 전문 지식을 사용하여 소기업에 재무 컨설팅 서비스를 제공할 수 있나요?
- 지식을 활용하여 개인 금융에 관한 책을 쓸 수 있나요?

제거하기(Eliminate)

- 회계 프로세스에서 불필요한 단계를 제거하여 시간을 절약하고 비용을 절감할 수 있나요?
- 수익성이 없는 서비스 제공을 중단할 수 있나요?

역발상·재정리하기(Reverse, Rearrange)

- 효율성을 향상하기 위해 특정 회계 작업을 수행하는 순서를 역순으로 할 수 있나요?
- 전통적인 회계 모델을 뒤집어서 시간 단위로 청구하는 대신 구독 기반 서비스를 제공할 수 있나요?

예시 2. 요가 강사를 위한 SCAMPER 질문

대체하기(Substitute)

* 요가 수업에서 무엇을 대체할 수 있나요?
* 전통적인 요가 대신 트렌드한 요가로 대체할 수 있나요?
* 전통 아사나 요가를 명상 세션으로 대체할 수 있나요?

결합하기(Combine)

* 요가 수업의 어떤 요소를 다른 아이디어와 결합할 수 있나요?
* 요가와 춤 또는 음악을 결합하여 독특한 요가 수업 경험을 만들 수 있나요?
* 요가와 하이킹을 결합하여 야외 요가 세션을 제공할 수 있나요?

응용하기(Adjust)

* 다양한 유형의 고객에게 요가 수업을 어떻게 적응시킬 수 있나요?
* 노인이나 장애가 있는 개인이 더 쉽게 접근할 수 있도록 요가 수업을 조정할 수 있나요?
* 숙련된 수련자에게 더 높은 수준의 요가 수업을 적용할 수 있나요?

변경·확대·축소하기(Modify, Magnify, Minify)

* 요가 수업을 더 흥미롭게 만들기 위해 어떻게 수정할 수 있나요?
* 자세를 향상시키기 위해 도구나 소품을 사용하여 요가 수업을 변경할 수 있나요?
* '스트레스 완화를 위한 요가' 또는 '더 나은 수면을 위한 요가'와 같은 주제로 세션을 추가하여 요가 수업을 수정할 수 있나요?

다르게 활용하기(Put to Other Uses)

- 신체 운동 외에 요가를 사용할 수 있는 다른 용도는 무엇인가요?
- 요가를 회사의 팀워크 강화 활동으로 활용할 수 있나요?
- 중독 회복 프로그램에서 정신 건강을 개선하는 방법으로 요가를 사용할 수 있나요?

제거하기(Eliminate)

- 요가 수업을 더 효율적으로 만들기 위해 무엇을 제거할 수 있나요?
- 필요하지 않거나 고객 사이에서 인기가 없는 특정 자세를 제거할 수 있나요?
- 사용하지 않거나 수업에 필요하지 않은 특정 장비나 소품을 제거할 수 있나요?

역발상·재정리하기(Reverse, Rearrange)

- 현재 요가 수업의 요일별 요가를 다시 재정리할 수 있나요?
- 현재 요가 수업의 시작과 끝의 프로그램을 바꿀 수 있나요?
- 좀 더 도전적인 흐름으로 시작하여 편안한 회복 세션으로 끝날 수 있나요?

실행계획 조정을 위한 코칭 질문

SCAMPER 개념을 적용한 코칭 질문에 답하면서 생각을 정리해 보자.

대체하기(Substitute)

- 현재 직업에서 사용하는 기술이나 역할 중 어떤 것을 다른 것으로 대체할 수 있나요?
- 현재 직무에서 다른 사람이 수행할 수 없는 특별한 역할이나 기술이 있나요? 이를 대체할 수 있는 새로운 기술이나 역할은 무엇인가요?
- 자신의 커리어 목표를 달성하기 위해 기존 전략을 대체할 수 있는 새로운 전략은 무엇인가요?
- 현재 직업에서 느끼는 불만족을 해결할 수 있는 다른 직업이나 역할은 무엇인가요?
- 자신이 현재 사용하는 시간 관리 또는 업무 효율성 도구를 대체할 수 있는 더 효과적인 도구나 방법은 무엇인가요?

결합하기(Combine)

- 자신의 커리어에서 다른 분야의 지식이나 기술을 결합하여 새로운 기회를 창출할 수 있나요?
- 현재 직무에서 다른 역할이나 프로젝트와 결합하여 시너지를 내는 방법은 무엇인가요?
- 현재 가지고 있는 두 가지 이상의 기술이나 전문 지식을 결합하여 새로운 커리어 기회를 창출할 방법은 무엇인가요?
- 다른 분야의 전문가와 협력하여 새로운 프로젝트나 사업 아이디어를

생성할 수 있나요?

- 개인적인 취미나 관심사를 현재 직업과 결합하여 부수입을 창출할 방법은 무엇인가요?

응용하기(Adjust)

- 다른 산업이나 분야에서 성공적인 전략이나 아이디어를 당신의 커리어에 어떻게 적용할 수 있나요?
- 경력 발전을 위해 시장 변화나 기술 발전에 어떻게 적응할 수 있나요?
- 최신 기술 트렌드나 산업 변화에 자신의 커리어를 어떻게 적응시킬 수 있나요?
- 경력 전환을 고려할 때, 현재 스킬셋을 새로운 분야에 어떻게 적응시킬 수 있나요?
- 성공적인 인물이나 롤모델의 특성을 당신의 커리어 발전에 어떻게 적응시킬 수 있나요?

변경·확대·축소하기(Modify, Magnify, Minify)

- 자신의 직무 설명을 어떻게 변형하거나 확장할 수 있나요?
- 자신의 현재 커리어 경로에서 어떤 부분을 수정하거나 발전시켜야 하는가요?
- 커리어 목표를 달성하는 데 필요한 기술이나 지식에서 어떤 부분을 강화하거나 확장해야 하나요?
- 현재 직무의 역할을 수정하여 더 많은 책임이나 다양한 경험을 얻는 방법은 무엇인가요?
- 자신의 네트워킹 전략을 어떻게 수정하거나 확장해야 더 넓은 범위

의 전문가들과 연결될 수 있나요?

다르게 활용하기(Put to Other Uses)

- 현재 가지고 있는 기술이나 지식을 전혀 다른 분야나 역할에서 활용할 수 있는 방법은 무엇일까요?
- 커리어 경로에서 얻은 경험을 개인적인 성장이나 다른 목적으로 어떻게 활용할 수 있을까요?
- 자신의 전문 지식을 교육이나 컨설팅 분야에서 활용할 수 있는 방법은 무엇인가요?
- 현재 수행하는 업무 프로세스나 방법론을 다른 프로젝트나 팀 작업에 어떻게 적용할 수 있나요?
- 직업적 경험을 통해 얻은 네트워크를 사회적, 문화적, 또는 교육적 목적으로 어떻게 활용할 수 있나요?

제거하기(Eliminate)

- 자신의 커리어 목표 달성을 방해하는 활동이나 습관은 무엇이며, 이를 어떻게 제거할 수 있을까요?
- 작업 프로세스나 일상에서 불필요하거나 비효율적인 것은 무엇이며, 어떻게 개선할 수 있을까요?
- 업무수행 시 비효율적인 프로세스나 도구는 무엇이며, 이를 어떻게 개선하거나 제거할 수 있나요?
- 시간 낭비로 이어지는 회의나 활동을 어떻게 줄이거나 제거할 수 있나요?
- 당신의 커리어 성장에 영향을 주는 부정적인 사고나 태도를 어떻게 변화시키거나 제거할 수 있나요?

역발상·재정리하기(Reverse, Rearrange)

* 커리어 계획이나 목표를 달성하는 전통적인 경로를 역으로 따라가거나 다르게 배열하는 방법은 무엇일까요?

* 자신의 일상이나 프로젝트의 순서를 재배열하여 더 효율적이거나 창의적인 결과를 얻는 방법은 무엇일까요?

* 현재 직무의 일상적인 업무를 재배열하여 생산성을 높일 방법은 무엇인가요?

* 커리어 발전을 위해 설정한 단계적 목표를 재평가하여 우선순위를 다시 매길 필요가 있나요?

* 경력 경로에서 이전에 중요하게 여겼던 요소들의 중요도를 뒤집어 생각한다면, 어떤 새로운 기회가 보이나요?

나의 실행계획 조정하기

대체하기(Substitute)

결합하기(Combine)

응용하기(Adjust)

변경·확대·축소하기(Modify, Magnify, Minify)

다르게 활용하기(Put to Other Uses)

제거하기(Eliminate)

역발상·재정리하기(Reverse, Rearrange)

★ 새롭게 깨닫게 된 것을 어떻게 실행계획에 적용할 수 있을까요?

12장. 실행력 유지하기

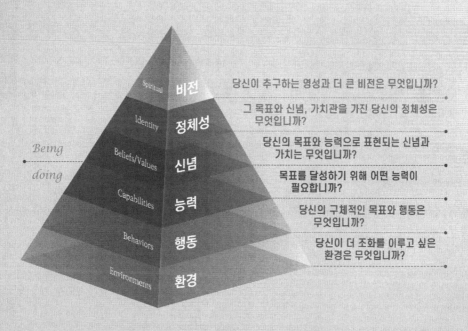

Spiritual	비전	당신이 추구하는 영성과 더 큰 비전은 무엇입니까?
Identity	정체성	그 목표와 신념, 가치관을 가진 당신의 정체성은 무엇입니까?
Beliefs/Values	신념	당신의 목표와 능력으로 표현되는 신념과 가치는 무엇입니까?
Capabilities	능력	목표를 달성하기 위해 어떤 능력이 필요합니까?
Behaviors	행동	당신의 구체적인 목표와 행동은 무엇입니까?
Environments	환경	당신이 더 조화를 이루고 싶은 환경은 무엇입니까?

Being / *doing*

로버츠 딜츠, 신경논리단계 자기정렬 | 인포그래픽 제작: 이현주 © 엘엠디밸류 | 무단 전재 및 재배포, 복사 금지

실행력이 떨어지거나 멈추게 될 때

커리어 탐색 과정과 커리어 플랜 세우기 과정을 통해 비전, 목표설정, 실행계획을 세웠다. 그동안 강의와 워크샵을 통해 만난 사람들이 실행계획을 수립한 이후 어려움을 겪게 되는 것 중 하나는 **실천하는 동안 동력이 떨어지거나 실행을 멈추었을 때 더 이상 앞으로 나아가지 못하는 때가 발생**한다는 것이다. 나도 같은 경험이 있다. 행동 추진력이 시간이 갈수록 점점 떨어지거나 여러 상황에 매여 정신적으로 좌절하는 일도 생긴다. 또 외부 환경의 변화가 원인이 된 적도 있다.

이런 상황에서는 어떻게 해야 할까? 위 실행계획 단계의 '진행 상황 모니터링'과 '멘토, 전문가 상담 부분의 질문은 이 경우 도움이 된다. 이를 통해서 목표와 실행계획을 조정해 다시 추진 동력을 얻을 수도 있다. 특히 커리어에 대한 멘토링은 다양한 교육기관과 조직 내에서 프로그램을 운영 중인 곳이 많다. 혼자서 커리어 플랜을 세우고 실행하는 것보다 같은 관심사를 가진 사람, 조직, 단체와 연대해 도움과 지원을 받으며 성장해 가면 훨씬 강력한 성장을 할 수 있다.

또한, 행동의 변화를 일으키는 자기 점검 도구를 활용해서 자기가 지금 어떤 상황인지, 어떤 마음인지를 스스로 진단하며 행동력을 향상할 수 있다. 여러 도구 중 로버트 딜츠의 신경논리단계 자기 정렬을 활용해 본다.

신경논리단계 자기정렬 The Neuro-Logical Level Alignment process

세계 최고의 NLP 지도자인 로버트 딜츠 Robert B. Dilts의 '신경논리단계 자기 정렬'은 존재 찾기와 행동 변화를 일으킬 수 있는 탁월한 프로세스이다. 개인 차원에서 건강하고 효과적인 사람은 자신의 행동이 자신의 능력, 신념, 가치, 정체성, 또는 사명과 일치하는 사람이라는 전제하에 다양한 수준의 변화를 조화롭게 일치시킬 수 있다.

목표 실행계획의 실천력을 높이기 위해 환경 수준, 행동 수준, 능력 수준, 신념 수준, 정체성 수준, 비전 수준에서 자기를 정렬하고 원래 자신이 달리던 실행 트랙으로 돌아오는 경험을 하길 바란다.

- **환경 수준**은 어떤 일이 발생해서 내가 잘 정리해야만 하는 외부 조건에 관한 것이다. 자기 자신 즉 '사람'에 대한 것이 아니며, 어떤 일이 어떻게 일어났는지 이 일이 발생한 이유나 상황을 구체적으로 설명한다.

- **행동 수준**은 위의 환경 내에서 자기 행동과 그것이 미친 영향에 대한 것이다. 자기 생각과 행동이 어떤 영향을 미쳤는지 회상한다. 또한 내가 한 행동에 상대는 어떻게 반응하여 행동하고 그 행동은 영향을 미쳤는지도 설명한다.

- **능력 수준**은 '어떻게' 수준으로 간주할 수 있다. 역량은 어떻게 해결해야 할지 전략을 세우고 행동을 주도하는 중요한 부분이다. 자신이 달성하고자 하는 것을 위해 어떤 역량을 개발하고 발휘해야 하는지

어떻게 해야 하는 방법을 상세하게 말한다.

- **신념 수준**은 자신이 믿고 지켜야 할 기본 가치를 가지고 행한 행동의 이유에 관한 것이다. 신념과 가치는 능력을 강화할 수도 있고 약화할 수도 있다. 예를 들어, 자신이 '그림을 잘 그리지 못한다'라는 믿음을 가지고 있다면, 그림을 잘 그리는 법을 배우려는 모든 시도를 약화할 것이다.

- **정체성 수준**은 자신이 '누구'인지에 관한 것이며 자아감에 대한 것이다. 이 단계는 '내가 무엇을 좋아하는가?', '나를 자극하는 것이 무엇인가?', '나의 열정은 무엇인가?'와 같은 개인적인 자기실현에 관한 것이다.

- **비전 수준**은 항상 논리적 수준에 포함되는 것은 아니며, 다른 수준을 넘어서는 영성과 영적 비전을 의미한다. 자기 인생을 넘어 가족, 공동체, 그 이상의 더 큰 시스템 속에서의 자기모습을 성찰한다. 어떤 사람들은 이것을 '지혜' 수준으로 묘사하고, 자신을 보는 정체성과 연결하기도 한다.

행동의 변화를 일으킨 자기 정렬 경험 예시

나의 자기 정렬 경험을 나누고자 한다. 책 출간을 목표로 마감일을 정하고 집필을 시작했다. 진행하던 중간에 추진력이 떨어지고 망설이는 상태가 한 달이 지나가면서 그 상태에서 벗어나기 위한 변화가 필요했다. 신경논리단계 자기 정렬을 통해 행동의 변화를 불러올 수 있다는 것을 알기에 스스로 자문자답하고 자기 정렬을 하였다.

아래와 같이 답변하는 과정을 마쳤을 때는 다시 집필할 수 있는 마음의 상태로 돌아와 글을 쓰게 되었다.

---

1. 환경 수준
현재 환경 중 변화 또는 문제가 해결되길 원하는 것은 무엇인가요?

나는 올해 목표로 책을 출간하려고 한다. 가장 문제가 되는 것은 회사 업무가 바빠서 글쓰기에 충분한 시간을 할애하지 못하고 있다. 그리고 학교 강의에서 만나는 학생들과 주관하는 워크샵에 마음과 시간을 쓰고 싶다는 생각이 크다.

가장 큰 문제는 세상에 많은 책이 있는데 나까지 출간할 필요가 있을까 하는 부정적인 생각이 드는 때가 있다.

2. 행동 수준
위의 환경을 위한 구체적인 목표와 행동은 무엇이며 그 영향은 어떤 것인가?

프로젝트를 진행하면서 기획, 개발, 디자인, 검수 등 모든 단계가 완벽하길 원하기 때문에 업무에 집중하다 보면 하루가 빨리 지나간다. 프로젝트의 성과는 좋아지는데 목표했던 책 출간이 멀어지고 있다. 목표를 위해 지금 해야 할 일을 미뤄두는 날이 있다. 목표한 바를 반드시 실행하고자 하는 마음에 실제 행동이 따라오지 못하는 이런 행동은 때로는 자책감이 든다.

3. 능력 수준
목표를 달성하기 위해 어떤 능력이 필요한가?

나는 이전부터 글쓰기와 기획에 재능을 가지고 있어, 보고서, 논문 등에서 탁월한 성과를 냈었다. 그런데 책을 출간한 경험은 없다. 기획 역량을 발휘하고 다양한 커리어 경험을 담아서 책을 쓰고자 한다. '나를 위한 질문 100'과 '디자인 씽킹 코칭'을 주요 테마로 잡은 것을 다시 한번 정리하고 주제별 상세 카테고리를 나눈다. 그동안 준비해 온 블로그 글과 워크북의 내용을 분류하여 책 형태로 내용을 최적화한다.

4. 신념 수준
내가 세운 목표와 행동에 담긴 나의 신념과 가치관은 무엇인가?

나는 책을 통해 나의 콘텐츠를 대중에게 알려 사람들에게 도움이 되고 싶다. 내가 성장하는 데 도움이 된 것들을 사람과 나누고 싶다. 이 책은 인생의 터닝포인트를 만드는 인생 학교를 세우고자 하는 나의 장기적인 계획의 시작이다.

책을 출간한다는 것은 나에게 새로운 도전이며 나는 이 도전을 통해 훨씬 성장할 것이라고 믿는다. 지금 내가 가진 것에 만족하고 안주한다면 난 고여있는 물이 될 것이다. 새로운 것에 도전하고 불안과 불확실을 제대로 마주해야 한다. 그리고 몰입해서 그것을 이겨내면 난 한 단계 점프할 것이 분명하다.

책이 출간되고 사람들을 만나면 사람들에게 더 큰 신뢰감을 줄 수 있다. 그리고 나 스스로 힘든 도전을 이겨낸 사람으로서 더 큰 자신감을 가지고 진정성 있게 사람들에게 도전과 성취에 대해 말할 수 있을 것이다.

5. 정체성 수준
위에서 말한 나의 목표, 신념, 가치관을 가진 나의 정체성은 무엇인가?

진정성을 가지고 고객의 변화와 성장을 이루도록 돕는 라이프 코치가 된다. 책 출간에 거는 긍정적인 기대도 내 정체성을 잘 말해준다. 도전하고 극복하는 것은 나 이현주의 대표적인 정체성이다.

6. 비전 수준
내가 추구하는 더 큰 영성과 비전은 무엇인가?

나는 지금 종교를 가지고 있지 않다. 그렇지만 인간을 넘어선 더 큰 존재에 대해 항상 생각하고 경외하며 내가 이 세상에 온 목적을 잊지 않는다. 나는 이 세상에서 사는 동안 내가 할 힘을 모아 다른 사람을 돕고 사랑을 실천하며 살아간다. 나는 지금 내 인생의 북극성을 향해 걸어가는 중이다. 책 출간을 통해 이뤄내는 것들은 다른 사람들을 돕기 위한 것이기 때문에 다시 마음의 중심을 잡고 집중해서 진행해야겠다.

행동의 변화를 위한 코칭 질문

자기 행동의 변화를 일으켜 목표를 향해 나아가기 위한 자기 정렬 코칭 질문에 답하면서 정리해 보자.

1. 환경 수준

- 현재의 주변 환경이 어떻게 바뀌면 다시 실행의 힘을 얻고 목표를 향해 나갈 수 있을까요?
- 주변 사람들과의 관계를 어떻게 조정하면 행동 변화에 도움이 될까요?
- 주변의 부정적인 영향을 최소화하고 긍정적인 영향을 극대화하기 위해서 어떻게 할 수 있을까요?

2. 행동 수준

- 현재의 행동 중 목표에 부합하지 않는 행동을 줄이기 위해 어떤 대안적인 행동을 시도해 볼 수 있을까요?
- 부정적인 행동 패턴을 극복하는 데 어떤 도움이 필요한지 파악하고, 그에 대한 대책을 세울 수 있을까요?
- 효과적인 습관을 형성하고 유지하기 위해 어떻게 할 수 있을까요?

3. 능력 수준

- 자신의 어떤 강점을 활용하면 목표 달성에 도움이 될 수 있을까요?
- 목표를 달성하는 데 필요한 역량을 강화하기 위해 어떤 노력을 기울일 수 있나요?
- 필요한 기술이나 지식을 습득하고 개발하기 위해 어떤 자원을 활용할 수 있을까요?

4. 신념 수준

- 자신의 어떤 신념이 자신의 성공을 응원하고 있나요? 또는 방해하고 있나요?
- 목표를 향해 나아가기 위한 긍정적인 신념을 강화하는 방법은 무엇인가요?
- 부정적인 신념을 극복하고 긍정적으로 바꾸기 위한 과정에서 어떤 도움이나 지원이 필요한가요?

5. 정체성 수준

- 현재의 정체성이 당신의 목표와 얼마나 일치하는지 살펴보고 목표에 부합하는 정체성을 강화하기 위해 어떤 행동이나 변화가 필요한가요?
- 목표 달성을 위해 새로운 정체성을 수용하거나 개발이 필요하다면 어떤 자원이 필요한가요?
- 목표에 도달하는 데 정체성의 일부를 포기해야 한다면, 어떤 부분을 조절해야 하나요?

6. 비전 수준

- 자신이 원하는 미래를 명확하게 상상해 보세요. 이 미래가 현재의 행동을 변화시키는 데 어떤 도움이 될 수 있나요?
- 목표 달성을 위해 비전을 지속해서 유지하고 강화하는 방법은 무엇인가요?
- 비전을 공유하고 타인에게서 지지받는 방안은 무엇인가요?

행동의 변화를 위한 코칭 질문을 통해 무엇을 얻었는가. 혹시 행동 변화를 일으키겠다는 마음속의 각오가 서지 않았는가. 자신에게 실망하지 말자. 이 장의 '실행력을 유지하기'까지 왔다는 것은 이미 커리어 플랜을 성공적으로 수립한 경험이 있다는 것이다. 이제 자기가 작성한 1부 커리어 탐색과 2부 커리어 플랜 세우기의 답변을 다시 한번 읽어 본다. 그리고 다시 한번 질문들에 천천히 답을 하는 시간을 갖도록 하자. 다음 장의 '나의 행동 변화 만들기' 워크시트에 바로 작성해 보자.

나의 행동 변화 만들기

1. 환경 수준
_____

2. 행동 수준
_____

3. 능력 수준

4. 신념 수준

5. 정체성 수준
_____

6. 비전 수준
_____

★ 이제 다시 목표를 달성하기 위한 실행을 시작하세요!
  자신을 응원하는 한마디는 무엇인가요?
_____

| 참고문헌 |

- "코칭소개," (사)한국코치협회 사이트, http://www.kcoach.or.kr/02guide/guide01.html
- 설기문 공역, 《NLP입문》, 학지사, 2022.
- 바바라 민토 지음,이진원 옮김, 《논리의 기술》, 개정판, 더난출판사, 2019.
- 고용노동부, 고용형태별근로실태조사보고서, 2022년판, 98쪽
- "1년만에 떠나는 MZ세대…기업 85% 조기퇴사자 있다.", 머니투데이, http://news.mt.co.kr/mtview.php?no=2022072109591236913
- Robert B. Dilts, Logical Level Alignment, http://www.nlpu.com/Articles/LevelsAlignment.htm
- Montgomery, Beronda L. "Mapping a mentoring roadmap and developing a supportive network for strategic career advancement." Sage Open 7.2 (2017): 2158244017710288.
- Eberle, B. (2023). Scamper: Creative Games and Activities for Imagination Development (Combined ed., Grades 2-8). Taylor & Francis.
- Liedtka, J. Why design thinking works. Harvard Business Review, 2018, 96(5), pp.72-79.
- Design Thinking in Coaching and Life, Manisha Dhawan, ICF, March 31, 2021, https://coachingfederation.org/blog/design-thinking-in-coaching
- How to Use The Wheel of Life in Your Coaching Practice: A Complete Guide, August 29, 2023, https://www.thecoachingtoolscompany.com/wheel-of-life-complete-guide-everything-you-need-to-know/#what-is-the-wheel-of-life
- Catanzano, Tara, et al. "Developing a Late-Career Roadmap to Continued Career Engagement." Academic Radiology 30.11 (2023): 2757-2760.
- Beheshtifar, Malikeh. "Role of career competencies in organizations." European journal of economics, finance and administrative sciences 42.6 (2011): 6-1

| 감사의 글 |

이 책 '디자인 씽킹 코칭 - 커리어 플랜 세우기'는 나의 사랑하는 조카 가연, 상희, 현준, 상현, 룩이, 솔이에게 바칩니다.

앞으로 살면서 계속되는 도전과 성취를 이루게 됩니다. 그 과정에서 때로 달리던 것을 잠시 멈추고, 숨을 고르며 다음을 준비해야 하는 시간은 반드시 옵니다. 그런 시간에 좌절을 희망으로 바꾸고 자신을 발견하는 순간을 조카들이 경험하길 바라면서 이 책을 썼습니다. 일하는 것이 단지 생계를 위한 수단이 아니며, 커리어에서 자신이 원하는 삶의 가치를 찾기를 바랍니다. 궁극적으로 커리어 성장 속에서 진정한 자유를 얻기를 바라는 마음을 담았습니다.

이 책을 쓰는 동안 어릴 적 늦게까지 글을 쓰시던 아빠의 모습을 떠올렸습니다. 저에게 묵묵히 격려하고 저를 성장시킨 많은 대화를 다시 회상하며 아빠에 대한 그리움과 고마운 마음이 더 커집니다. 우리 가족의 중심점인 엄마 전인주 여사님에게 감사를 드립니다. 저의 영원한 지원군이자 친구인 자매 현정, 현옥, 현민, 남동생 새날과 옥희, 진성, 그리고 영경에게 감사와 사랑을 전합니다.

저의 워크샵에 참가하시는 선생님들은 이미 자신의 삶을 잘 가꾸는 분들입니다. 그럼에도 계속 성장하길 원하며 지속적으로 워크샵에 참가해주신 여러 선생님에게 감사를 드립니다. 항상 아낌없는 응원과 지지를 해주신 선생님들, 코치님들께 진심으로 감사를 드립니다.